代筆屋

辻　仁成

幻冬舎文庫

代筆屋

代筆屋　目次

拝啓（まえがきみたいなもの）

私は、小説家のはしくれになったばかりの頃、小説を書く一方で人さまの思いを代筆する仕事もしていた。とくに看板を出していたわけでもなく、名刺を持っていたわけでもない。公のものではなく、半《なか》ば口コミで広がったアルバイト。

小説はさっぱり売れなかったが、代筆の方は月に数組から多いときでは週に二、三組の依頼があり、いっそ、このまま代筆屋を生業《なりわい》にして生きていこうか、と悩んだほどの盛況《せいきよう》であった。

手紙というものには不思議な力がある。携帯メール全盛のこのご時世でさえ、やはり大事なことは手紙で、という人が多い。

どうしても面と向かって言えないことというものがある。ファックスやメールではちょっと失礼、そういうときに手紙は大変有効であり、心強い媒介者《ばいかい》となる。

手紙でしか伝えられない気持ちというものもあるし、また手紙だからこそ思いを吐《と》露《ろ》することができる、という場面も多い。

便箋《びんせん》や葉書《はがき》には、速度ばかりを求める昨今の時代感覚とは正反対の安心感があり、懐かしい手触りもある。手紙には、さあ伝えるぞ、という重みがあり、そして開封する者らは多少の差はあるにせよ、自分だけに送られたその特別な郵便物に、なにがしかの期待と興奮を寄せることができる。

ところで、手紙を貰《もら》うことに関しては誰もが喜ぶくせに、どういうわけか、書くのは苦手ときている。小説家のようにもっとすらすら書けるなら、と人は口を揃《そろ》える。実際には、物書きだからといって、すらすら思いどおりに書けるわけではない。いくら上手な文章でも、相手に届かなければ意味がない。

ならば、苦手意識のある人々に向かって、一時期代筆屋をやっていた私がずうずうしくも手紙の書き方を伝授するというのはどうか、と閃《ひらめ》いた。

堅苦しい文章教室のようなものは別の書に任せるとして、ここに当時私が代筆した手紙のいくつかを引っ張り出し（もっとも、守秘義務があるので、依頼者並びに差出人名を仮名とさせていただいた）、同時に依頼者らの、なかなか人情に溢《あふ》れる悩みや思いや生き方を優しく分析しながら、誰にでも書くことのできる、簡単でなおかつ真《し》摯《し》な手紙の認《したた》め方というものを、実用的な面だけに限らず、ある種の読み物としても気楽に楽しんでいただけるような手法で記すことにした。
恋あり、別れあり、喜びあり、悲しみあり、人生の悲喜こもごもがここにはある。

代筆屋時代、今から二十年ほど昔のことになるが、私は中央線の吉祥寺《きちじょうじ》駅から井《い》の頭《かしら》公園へと突き抜ける路地、――左右には焼きとり屋、老舗《しにせ》のそば屋、ブティック、不動産屋、古着屋、画廊《がろう》、土産物《みやげもの》屋、などがひしめく賑《にぎ》やかな通りの一角に、部屋を借りていた。

レオナルドというカフェの横の狭い階段を上がったところ、ひきたてのコーヒー豆の香ばしい匂《にお》いが漂う、気楽な住処《すみか》であった。

窓の傍《そば》に机があり、夕方には西日が差し込み、便箋を赤く染めた。窓から顔を出すと、公園の高木の向こうに傾く太陽があった。

土日ともなれば親子連れが都内各地から中央線に乗って大挙して押し寄せ、まるで祭りのような賑やかさとなった。

小説を書くにはいささかうるさすぎる環境だったが、たまたまそこに部屋を持っていた大学時代の友人が仕事でアメリカに移り住むこととなり、戻ってくるまでの数年、住んでくれないか、と頼まれた。

家賃はいらぬが、猫が一匹いる、その世話だけお願いしたい。それと時々、猫の写真を撮って送ってほしい。――云々《うんぬん》。

願ってもない申し込みに二つ返事で飛びついたが、私は猫アレルギー持ちで、最初の頃はくしゃみが止まらず、清書途中の手紙を何度となく唾《つば》で汚しては、書き直す羽目となる。

それでも背に腹は代えられず、シャム猫のミーシャの面倒を見ながらの生活とあいなった。アレルギーには苦しんだが、恋人のいなかった当時の私にとって、艶《つや》やかな毛並みのミーシャはあの時期の私を慰める唯一の存在でもあった。

代筆屋の仕事が増えたきっかけは階下のカフェ、レオナルドのマスターが筆不精《ふでぶしょう》の常連客らに私のことを吹聴《ふいちょう》したためだ。

それまでは月に一度くらいの依頼だったが、それ以降、あちこちから依頼が舞い込むようになる。

小説の依頼もないのに、代筆の依頼ばかりが増え、正直、あの頃の私は複雑な気持ちで依頼人らと向かい合っていた。

息抜きの場だったレオナルドは、そのうち事務所のようになり、奥まった場所にある席で、私はまるでガード下の占《うらな》い師さながら、依頼者の話に耳を傾けるようになる。

それにしても手紙というものは、不思議な伝達手段である。

書いている人間の気持ちは必ずといっていいほど文面に出る。心配もしていないのに、心配を押し売りするような手紙を書いてはいけない。

そのような気持ちは封を開いた瞬間に、真っ先に相手に届いてしまう。それが手紙の一番に恐ろしいところと言えよう。

愛している気持ちは届くかもしれないが、同時にその幼稚《ようち》さや、愛の浅さや、性格の悪さまでもが相手に届いてしまう。

手紙というものは、人間の心を映す鏡のような存在でもある。

代筆を勘づかれてはまずいので、――もちろん巧《うま》すぎてもいけないが、だからといって代筆を引き受けた以上、それは相手の心を動かすものでなければならず、書くときは、さりげないがキラリと光るものを心掛けた。

十代の人から依頼されたのに、老成《ろうせい》な文章を書くわけにもいかないし、六、七十代の年配の方々からの依頼に対して、若々しい文章で挑《いど》むわけにもいかぬ。

依頼者の環境を理解し、同時に手紙を受け取る人の気持ちにも立って、どのような手紙であれば、受取人が差出人に対して、つまり依頼者へと心を向かわせることができるか、を慮《おもんぱか》り、相手の年齢や立場を上手に測って、書くことになる。

けれども私が依頼人から話を聞くことができるのは、せいぜい二時間がいいところ。その時間内でだいたいのことを推察する必要があり、これは物書きとして後々のいい勉強となった。

ある意味で代筆屋は占い師的な力も求められるわけで、そうなると、文章力だけの仕事とは言えそうにない。

しかも手紙というものは、美辞麗句《びじれいく》で包み込んでも、最後には嘘《うそ》がばれる。ある人間の気持ちを別の人間に届けるのだから、これほど難しく厄介《やっかい》な仕事もない。

私はできるだけ易《やさ》しい言葉を駆使《くし》して、代筆を心掛けてきた。拝啓《はいけい》、謹啓《きんけい》、前略《ぜんりゃく》などの昔ながらの起筆《きひつ》に用いる挨拶《あいさつ》の語などはあえて使わぬよう心掛けた。文章を整えることよりも、気持ちを届けることに全力をあげた。

なにせ、『手紙』という漢字は、『手』と『紙』でできている。詳しい語源は分からないが、なるほどな、と感心してしまう。どんな時代になっても、手紙がなくならないのはそういう理由だ。こればっかりは機械で大量生産をするわけにはいかないからである。

第一章　『名前も分からぬ人へ向けた恋文の書き方』

吉祥寺《きちじょうじ》は昔ながらの商店街が駅を中心に縦横に交差しており、夕刻時ともなれば街は大勢の人でごった返す。デパートもあるので、わざわざ都心に出ていく必要もなく、だいたいのものをこの街中で調達することができる。

駅北口を出てすぐの商店街には老舗《しにせ》の古本屋があり、通いつめた。古本を漁《あさ》った後は甘味《かんみ》屋に立ち寄り、あんみつセットに口を付ける。午後、食料品店などを巡り、缶詰や野菜、はたまた猫の餌《えさ》などを買い込み南口側へと戻る。当時の日課である。

公園の入り口には老舗の焼きとり屋が真昼間《まっぴるま》から営業しており、風の抜ける長閑《のどか》なカウンターで店員らをからかいながら、好物のツクネや鮪《まぐろ》納豆を肴《さかな》に、生ビールで胃袋を膨らませた。その後、池の辺《ほとり》を散歩し、買った古本をさっそくベンチに腰掛けて読み、ついでに高木のあいだから零《こぼ》れる光の中で午睡《ごすい》した。

書くことよりも、小説を読む方が好きだった私は、読む場所というものにこだわりがある。日当たりのいいベンチなどは、読書をするにはうってつけの場所と言える。開いた本の上で揺れる木漏《こ》《も》れ日の中の、印刷された文字を目で追いながら、徐々に物語の中へと潜り込んでいくときの、あの精神の静かな横揺れがたまらなく好きだった。

茅野大介《ちのだいすけ》君に会ったのは、うららかな春の日の夕刻。

昼間から呑《の》むビールというものはよく回る。ふらふらと千鳥足《ちどりあし》で戻ると、階段の入り口でレオナルドのマスターに捕《つか》まった。

私の帰りを一時間も待っている青年がいる、というので、慌てて店に顔を出すと、奥まった場所の薄暗い席にこざっぱりとした風貌《ふうぼう》の若者がいた。常連客の息子だという。

食料だの猫の餌だのが満載の紙袋を足元に置き、私は依頼人の話に耳を傾けた。

茅野君はサーフィンが趣味の十九歳、北口にある大手の経営ではない、――ロングアイランドの海辺にぽつんとありそうな、鄙《ひな》びたハンバーガーショップでアルバイトをしている。

一度だけ入ったことがあった。揚《あ》げたての皮つきポテトが香ばしくて美味《おい》しかった。もっとも、学生たちで賑《にぎ》わう店には、私が落ちついて本を読むことができる居心地のよい場所はなかった。胃袋を膨らませて、早々に引き上げた記憶がある。

ほぼ毎日同じ時間に顔を出す、女子学生に茅野君は恋をしていた。でも、彼は彼女の名前を知らない。

「その子はさ、ちょっと、この辺《あた》りでは有名な進学校に通っているんです。でも、俺はこのとおりでしょ、文才ってものは持ち合わせていないし、サーフィンしか取り柄《え》がない。だからその、先生にさ、取り持ってもらえないものかなと思って……」

仕事中だし、同僚らの手前、迂闊《うかつ》に名前を聞くこともできない。小さな店なので、手紙を手渡すくらいならできると思う、と彼は付け足した。

「名前も分からない。相手の素性も分からない。それで恋文を書くというのは、これはかなり難しい依頼だな」

率直に告げると、茅野君は不意に悲しそうな顔をして俯《うつむ》いた。恋に悩む青年の力になりたい、と思った。

「分かった。じゃあ、やってみるか」
成功報酬で私は茅野君の依頼を引き受けることになる。つまり、恋が成就《じょうじゅ》したら、そのときに代筆料をいただく、という約束の上。

『名前も分からぬあなたへ

あなたのことを何も知らないのに、今ぼくは名前も分からぬあなたへ向かって手紙を書いています。それがどれほど無謀《むぼう》なことかは、分かっているつもり。仕事中は周囲に同僚もいるので話し掛けることができません。ほかによい方法を思いつかず、失礼を承知で、このような手段に出ました。

見ず知らずの人間からいきなり手紙を手渡されること自体、まず不愉快だろうと想像します。加えてぼくの手渡し方はかなり強引だったはず。どういうタイミングでこの手紙をあなたに手渡すことができるか、これを書いている今の段階では想像もつきません。でも、同僚らに気づかれず、彼らの目を盗んで手渡すことになるわけですから、不躾《ぶしつけ》だったに違いない。ごめんなさい。

それに、あなた、なんて呼び方も嫌《いや》でしょう。分かってはいるのですが、君、では気安い感じがしすぎるし、あなたの名前が分かるまではこう呼ばせてください。

でも実際、こうして書きはじめてみると、思いばかりが空回りしてしまい、思いどおりの文章にはまとまりません。なんとか最後まで書きあげることができても、読み直してみると、とても渡せるような代物《しろもの》ではないことが分かり、一から書き直し。

だいたい、あなたのことを何も知らないのだから、書きようもないのです。名前も知らなければ、吉祥寺女学院に通っていることは知ってるけど、何年生なのか、どのような趣味を持っていて、普段はどんなことをして過ごしているのかなど、まったく分からない。それでもぼくが必死にペンを動かすただ一つの理由は、あなたと友達になりたいから。

サーファーの友人に連れられて真冬の海に出掛けたとき、やはり名前も分からぬ誰かが上手に波に乗っていた。ああいうふうに自分もなりたい、と思った。ぼくは毎週末、海に出掛けてはサーフィンをしています。ああなりたい、と思ったその瞬間に、きっかけを手に入れることができた。同じように、今、ぼくはあなたと友達になるための最初のきっかけを手に入れることができました。うん、これだけは間違いない。だからそのきっかけを失わないように、失礼を省《かえり》みず手紙を書いているという次第です。

後悔をしたくないから、サーフィンをはじめた。同じように、あとでうじうじしないために、こうやって手紙を書いている。

どのようなきっかけであろうと、出会ってしまえば、それは立派なはじまりとなります。恥ずかしいことなんて一瞬だから、迷っている暇《ひま》はありませんね。もしかしたら、その先に人生を揺るがすようなとてつもなく大きな何かが待っているかもしれないのだし。

気が早い話ですが、きっかけを手に入れたぼくが次に目指すのは、あなたの名前を聞き出すことです。あなたの名前を知ることができれば、きっとぼくのこの不安な気持ちももう少し和《やわ》らぐことになるでしょう。そしてそれは大きな前進を意味します。

もしもこの手紙があなたの心に届き、ぼくがあなたの名前を知って、お互いがお互いのことを少しずつ理解するようになり、あるいは波乗りをしているぼくの姿を浜辺の焚《た》き火の傍《そば》からあなたが眺めてくれたとしたら、そんな奇跡のようなことが起きるとしたらですが、それはぼくの十九年間の人生の中でもっとも幸せなひとときと言えるでしょう。

世の中には知らない人や出会わない人たちの方が、知っている人や出会った人たちよりも圧倒的に大勢います。少なくともぼくはこの広い世界の中であなたを探し当てました。本当の出会いが持てるかどうかは、あなたにかかっています。あなたが明日もまた笑顔で店に立ち寄ってくれるなら、ぼくはきっかけの次を手に入れたことになる。小さなきっかけをください。最初の何かを。

あなたがこれを読んでいる頃、ぼくはきっとどきどきはらはらしながら待っている。そして明日はきっと目を真っ赤にして働いているはずです。

ぼくの声はあなたに届きましたか？

最後にぼくの名前をここに記しておきます。これがぼくの名前です。

茅野大介　十九歳』

青年が手紙を無事に手渡すことができたかどうか、私には分からなかった。その後、青年からの音沙汰《おとさた》はない。何か進展があれば、必ず連絡します、と青年は言い残した。連絡がないということは、私が代筆した手紙は功を奏さなかったことになる。落ち込む茅野君の姿を想像し、申し訳なく思った。

数日後、レオナルドのマスターが部屋に顔を出し、また一人お客が来ているんだが、と言った。

「おい、代筆屋。大繁盛だな」

店に下りていくと、例の奥まった席に可愛《かわい》らしい女学生が腰掛けていた。そして彼女が私に差し出したものは、驚くべきことに、私が代筆した手紙だった。迂闊《うかつ》なことは言えないので、女学生の言葉を待った。気を揉《も》みながら。

「実は、行きつけのお店の店員さんにこのような手紙を手渡されたのです」

と娘さんは口火を切った。彼女の訪問が、まったくの偶然によるものだと分かった。

この依頼人、レオナルドの常連客の知り合いの娘さん、だという。おやおや、吉祥寺は何て狭い街なんだろう。

依頼人の名前は乙部富士子《おとべふじこ》といった。茅野君よりも前に彼女の名前を聞いてしまったことで私はちょっとだけ罪の意識を覚えた。

「一度返事を書いてみたんですけど、思うようなものは書けませんでした。悩んでいると、ここの常連さんだという母の知り合いが先生のことを教えてくれて」

代筆がばれたわけではないことが分かり、私は安堵《あんど》した。それにしても口コミの宣伝効果というものには驚かされる。内職のような感じでこっそりとやっていたつもりだったが、噂《うわさ》を聞きつけて来る新しい客が増えていた。それだけ、悩んでいる人が多いということでもある。

ところが、安堵も束の間《つかのま》、事態はやや面倒くさい展開へと向かう。

この女学生が茅野君の店に足繁《あししげ》く通っていたのは、茅野君の同僚の青木《あおき》君に興味があったからで、なのに、その同僚の茅野君から手紙を手渡されてしまう。

真摯《しんし》な文面に心も揺らいだが、高校に入学した頃から青木君のことが好きで、あの手この手で名前まで聞き出しており、今更簡単に気持ちを切り換えることなどできない、とのこと。

乙部さんは真剣に悩み、ハンバーガーショップに顔を出せずにいる。

「なるほど、分かりました」

私はそう言うしかなかった。それでは、どのようなものを書きましょうか、と私は言った。乙部さんは、俯き、少しのあいだ迷ってから、自分に言い聞かせるように、はい、と呟《つぶや》き頷《うなず》いた。

「茅野さんを傷つけることなく、彼の申し出をお断りするものをお願いします」

やれやれ、これは大変な仕事になりそうだ。茅野君を傷つけないで、乙部さんの気持ちを茅野君に伝えることなどできるものだろうか。

「自分で少し書いてみたのですが、どんなふうに書いても、茅野さんを傷つけてしまうことになる。先生、どうかお願いします」

と乙部富士子は付け足した。

乗り掛かった船、とはよく言ったものである。確かに、私が代筆をするのが一番であろう。代筆屋である私にもなにがしかの責任はあるのだから。

成功報酬で、と私は乙部さんに言った。

「成功報酬？」

「うん、まあ、とりあえず、結果を見てから、お金を支払う気持ちになれば、支払ってください。それで構いません」

私はそう言うしかなかった。

さて、文章を考えることのほかに、代筆屋には重要な仕事がある。依頼人に代わっての清書。手紙を貰《もら》うのはうれしいが、出すのは苦手という人の多くが、字が下手だから、という理由をあげる。メールが流行したのは、字を書く必要がないせいもあるだろう。

依頼人によって、字体を変え、使うペンの種類も替える。老齢の人には筆を使うこともあるし、若い女性の場合は横書き用便箋《びんせん》に青色の万年筆と決めている。茅野君のときに使った便箋はここでは使えない。乙部富士子本人が文房具屋で買い求めた可愛らしい便箋と封筒を使うことにした。

『茅野大介さま

お手紙をいただいてから、すぐに返事を書きはじめたのですが、おっしゃるとおり、確かに自分の気持ちを文章で他人に伝えることは難しい。

茅野さんが、どれほど苦心をして、あの手紙を書かれたのか、今は察することができるし、そう思いながら読み返すと、あなたの手紙に感動さえ覚えます（私も茅野さんのことを君ではなくて、あなた、と呼ばせてください。いつか、あなた、が、君、に変化することを夢見ていたいから）。

私もあなたのことはまったく知りません。その知らないあなたに、自分のことをどれだけ正確に伝えることができるか分かりませんが、でもあなたの誠実に対して、黙って通りすぎることはできない、と感じ、やはり私も筆不精《ふでぶしょう》の身ですが、こうやって思いきって便箋に向かっている次第です。

自己紹介をさせてください。私の名前は乙部富士子。吉祥寺女学院の三年生です。

これで茅野さんの悶々《もんもん》はいくらか和らぎましたか？　親は私のことを『ふーちゃん』と呼びます。彼氏は私のことを『ふー』と呼び捨てにします。どちらの呼ばれ方も嫌いではありません。

茅野さんが勤めるお店には、高校生になった頃から通っています。手作りの心地よい雰囲気と働くお兄さんお姉さんたちへの憧《あこが》れもあって、私たちにとってはなくてはならない癒《いや》しの空間なのです。

そういえば、茅野さんが働きはじめた頃、私たちのあいだではあなたのことが何度も話題に上っていました。友人の京子《きょうこ》はあなたのファンで、茅野さんのことをいろいろと想像しては事あるごとに噂していました。サーフィンをやっているらしいよ、と教えてあげたところ、目を輝かせて驚き、なんであんた知っているのよ、としつこく聞かれてしまいました。ごめんなさい、勝手に教えてしまって。でも手紙のことは誰にも話していません。大事な思い出として自分の心の中だけに仕舞っておきたいと思います。

私にはまだ自分の目標というものがありません。卒業後は大学に進学し、翻訳家を目指したい、というささやかな夢はありますが、どうやったら翻訳家になることができるのかも分からないし、果たしてそういう仕事で食べていくことができるのかも判断できず、悩んでいます。

茅野さんのサーフィン姿を見に海に出掛けたいところですけど、今の私にはそれは叶《かな》わぬ夢の夢。来年は大学受験があるので、今は受験勉強に集中です。

でも、いいなあ。サーフィン。

文面から、茅野さんが荒れる海で一人果敢《かかん》に波と闘う姿が滲《にじ》んできました。大きな波に乗るのですから、さぞかし気分のいいスポーツでしょうね。いつか私もやってみたい。志望大学に合格した暁《あかつき》には教えてもらえますか？　そして茅野さんの仲間になることはできますか？　京子も連れて、真冬の浜辺の温かい焚き火を囲んで話ができれば、それほど素晴らしい青春はないだろうと思います。

広い世界の中で、私のことを探し出してくださって、本当にありがとう。では、次に会うときはぜひ、笑顔で。お互い爽《さわ》やかな海辺を思わせる笑顔で会えれば、と思います。

乙部富士子　十八歳』

――どのようなきっかけであろうと、出会ってしまえば、それは立派なはじまりとなります。

私は茅野大介の手紙でそう書いた。これは三段論法の常套句《じょうとうく》。きっかけがありさえすれば、人は必ず出会える。出会ってしまえば、きっかけはすでに恋のはじまり、となる。

いかなるリアクションでも、なにがしかの応答があった場合、差出人に希望が通知される戦術をとった。

まさか、ここで乙部富士子本人から断りの手紙を頼まれるとは思ってもいなかった。しかも、茅野君を傷つけないで諦《あきら》めさせなければならない。まったく、代筆屋泣かせの依頼である。

作戦としては、乙部に恋人がいることにした。乙部富士子は、できれば嘘《うそ》はつきたくない、と柔らかく抗議をした。

私は、嘘も方便《ほうべん》、という言葉を持ち出し、彼女を説得。青木君と交際はしていないものの、乙部富士子が長いこと彼のことを慕《した》ってきたのは明らか。ある意味で、その関係は心の恋人と呼ぶに値するもの。

――彼氏は私のことを『ふー』と呼び捨てにします。

この短い一言《ひとこと》を入れることによって、茅野に乙部の背景を想像させ、それほど苦しめずに茅野に諦めさせることができる、と踏んだ。さらに、受験生であることを強調しておく。これは駄目押し程度の効果をもたらす。

むしろ長々と言い訳のような文章を書いて断った場合は、しこりも残るし、それは乙部が望むような後味のいいものとはならない。

二人の若さを信じて、私は大胆に書いた。

そして手紙の最後の方に、志望大学に合格した暁にはサーフィンを教えてもらえないか、と添えた。仲間になりたい、と言うことで、相手が負った疵《きず》をさりげなくいたわってみせるのだ。

代筆屋の仕事の多くは受取人と面識がない場合がほとんど、依頼人からの情報だけで書かなければならない。茅野大介と面識があったことで、返信はそれほど苦労せずに書くことができた。

三カ月ほどが過ぎて、私は茅野大介と乙部富士子の両人と会うことになる。三人で一緒に会ったわけではない。別々の日に、レオナルドのいつもの席で。

まず茅野大介が訪ねてきて、こう言った。

「先生のお蔭《かげ》で、乙部さんといい関係がつづいています」

交際をしている、とは明言しなかったが、一緒に海に行っている、と青年は満面に笑みを浮かべて言った。受験生なのに、と私は突っ込みたくなった。

「まだ恋人ではないけど、恋人になるかもしれない。これはお礼です」

そう言って、茅野大介は私に一万円札を手渡した。

その一週間後、乙部富士子は同じ席に座り、

「どうしてこうなっちゃったのか、説明が難しいのだけれど、あれから二転三転あって、結局お付き合いをすることになりました。ここだけの話ですが、茅野君から最初に貰った手紙に負けた、という感じです。彼の心の純粋さが分かります。海に連れていってもらったときに、彼の文面から滲んでいた優しさを間近に見ることもできました。海から走って戻ってくると、寒くない？　と必ず声を掛けてくれるんです。こういう人なら、ずっと大事にしてくれるだろう、と思いました。茅野君も時々、私の手紙、いえ、先生に代筆していただいた手紙のことを口にします。『ふー』と呼び捨て

にする恋人の存在は嘘だって、白状してしまいました。もちろん、先生に代筆してもらったなどとは口が裂けても言えませんね。これはお礼です」

そう言って、乙部富士子は私に五千円札を差し出した。

第二章　『咲くよ桜』

井《い》の頭《かしら》公園には大きな池があり、その中に小さな島が一つ、そこには弁天《べんてん》様が祀《まつ》られており、この神様、嫉妬《しっと》深いらしく、池のボートにカップルで乗ると焼き餅《もち》を焼かれて別れることになる、とのジンクスがある。

噂《うわさ》だが、かなり真実味があるのも事実で、実際、私も大学時代に付き合っていた恋人とここでボートに乗って別れた経験を持つ。逆に、どうしても別れたい恋人がいるなら、この池でボートに乗ることをおすすめする。

恋人がいなかった私はその日、ミーシャを連れてボートに乗った。平日の晴れた日はボート乗り場はがらすきで、待たずに乗ることができた。ミーシャはボートの先端で丸くなり、日向《ひなた》ぼっこを決め込んだ。私は池の中程へ向かってボートを漕《こ》いだ。

「ミーシャ、これでお前との仲もおしまいだな」

呟《つぶや》きほくそ笑むと、ミーシャはあくびをした後そっぽを向いた。私はくしゃみをする。猫の毛に加え、公園を飛び交う花粉のせいで。

オールをボートの中に仕舞い、私は寝転がった。ミーシャは私の股間《こかん》の辺りで丸くなる。頭の後ろに手を組んで、枕《まくら》の代わりにした。太陽の光が瞼《まぶた》の上から眼球を強く押す。目の芯《しん》が痺《しび》れ、いっそう眠たくなった。

午睡《ごすい》が終わり、部屋に戻ると、戸に張り紙があった。

『戻り次第、顔を出せ。代筆の依頼人が待っている。レオナルド』

私はうっかり約束を忘れていた。ミーシャを部屋の中に放り込んで、慌てて階下へと向かった。カウンターの中でマスターがコーヒーを淹《い》れていた。目が合った瞬間、彼は眉間《みけん》にぎゅっと縦皺《たてじわ》を寄せた。

依頼人の女性が奥まった場所の席で待っている。私は咳払《せきばら》いをして威厳を取り繕《つくろ》い、女性の前に進み出た。

「申し訳ありません。原稿の締め切りに追われておりまして」

嘘《うそ》の一つもつかぬわけにはいくまい。またしても遅刻である。女性は笑顔で、はじめまして、と微笑《ほほえ》み、自己紹介をはじめた。

代筆の依頼人、北条優子《ほうじょうゆうこ》はちょうど三十歳。三年前に別れた恋人とよりを戻すための手紙を代筆してほしい、という依頼であった。

「そこの池で恋人とボートに乗ったことがあるでしょ？」

問いただすと北条優子は、何を言い出すのか、という顔をしてみせた後、ええ、と頷《うなず》いた。それが原因です、と私は断定し微笑んでみせた。冗談を言ったつもりだったが、本人は憮然《ぶぜん》とした顔のまま、ジンクスに挑戦しようよって彼が言い出して仕方なく乗ったの、と弱々しく返した。

「噂を知っていたのに、乗ったんですね、それはまずい。そういう挑発《ちょうはつ》が一番よくない。弁天さんの激しい嫉妬を買ったに違いない」

彼女は泣きそうな顔で私を覗《のぞ》き込んでいる。

「どうしても忘れられないんです。別れましょう、と言ったのは私でした。だって、あの人は優柔不断で、煮えきらないし、なんて言うのかしら、何もかもがはっきりとしない人だった。不安だったんです。この人とやっていけるかなって。ちょうどその頃、別にちょっと素敵《すてき》な人がいて」

「目移り？」

「目移りってほどではありませんが、少し心が揺れて、で、その人と関係を持ってしまって、それが彼にばれて、そのままなんとなく。でも、あんなんじゃ、どっちにしても駄目だった。あんなうじうじした男とじゃ、やっていくことはできなかった。だから、これでよかったんだって、サヨナラを言った後、思った。でも、三年が過ぎたのに、思い出すのはたくちゃんのことばかり。あの人の犬ころのような人懐《ひとなつ》っこい笑顔とか、だらしない寝顔とか、雨の日に自分の着ていたジャケットを脱いで私に掛けてくれたこととか。怒ってばかりの私に一晩中ずっと付き合ってくれたり。遅くに帰ると、駅で待っていてくれて。街灯《がいとう》の下でポケットに手を入れ、じっと立って待っているの。私を見つけると顔中が笑顔になって、大きく手を振った。私は恥ずかしいから、やめてよって怒鳴《どな》った。本当はうれしかったくせに、いつも怒ってばかりだった」

北条優子はポケットから紙切れを取り出し、私の前にそっと差し出した。別れた恋人の名前と住所が殴り書きされている。どういう気持ちで写したのだろう。文字はかなり揺れており、激しい気性をうかがわせる。この字を真似《まね》るのか、と私は思った。

「田舎《いなか》に帰って、家業を継いだそうです。同郷なんです。それで、人づてに、あの人が結婚するかもしれないって噂を聞いた。そしたら、都合よく聞こえるかもしれませんが、不意に、私にはたくちゃんしかいないってことに気がついたの。私のような我が儘《まま》で駄目な女を優しく見守ってくれるのはあの人だけだって。……先生、お願いします」

ついには泣き出してしまった。私は咳払いをした。カウンターの奥からこっちを見ていたマスターと目が合う。肩を竦《すく》めてみせた。

「いいでしょう、やってみましょう」

口許《くちもと》をぎゅっと結び直してから、そう告げた。女は私の顔を覗き込み、本当ですか、と言った。それから、ありがとう、と小さく付け加えた。

『咲くよ桜

たくちゃん、元気ですか？

たくちゃん、時には昔のことを思い出すことはありますか？

たくちゃんと別々の道を歩きはじめてから、早いものですでに三年が経《た》ってしまいました。この歳月は言葉では表せないほどに、無味《むみ》乾燥な日々だった。あるべきものがそこになくて、やる瀬ない穴ぼこが心の中にぽっかりと開いたまま、私はこの三年間、毎日を悲しみの中でおくってきました。自業自得だと思う。時が経って、過去を振り返り、自分がどれほどたくちゃんに甘えていたのかを知りました。まず最初に、ちゃんと謝らないとね。ごめんなさい。どうか、我が儘だった私を許してください。

今更このような手紙を書ける身ではないことも重々承知しています。あんなに優しくしてくれたあなたのことを、平気で裏切ったのだから。

緑深い故郷から、卒業と同時に上京して、井の頭公園駅前の小さなアパートで同棲《どうせい》をはじめたのは、もう十二年も前のこと。

覚えてる?

満開の桜の下、ジンクスに挑戦だって騒ぎながら、二人でボートに乗った日のことを。

風が吹くと、花びらが散って、故郷のぼた雪のように舞った。たくちゃんは立ち上がって、なぜか、校歌を歌い出したの。危ないよって言うのに聞かないで、空を見上げて大声で歌った。

池のほとりで花見をしていた人たちに冷やかされた。見上げる私の目には、あなたと花びらと雲一つない青空だけが見えていた。忘れられない光景です。

悲しいことより、どうしても、楽しい、美しい、幸福なときの記憶ばかりを思い出してしまう。目をつむると、あなたに大切にされた思い出が真っ先に蘇《よみがえ》ります。そして毎日のように、たくちゃんのことを考えています。

寝ぼけながらも、真夜中、時々あなたのことを探したりしています。そしてうなされては起きて、あなたが隣《となり》にいないことを知ってまた泣いているの。夜ごはんを二人分作ることもある。たくちゃんが使っていたお茶碗《ちゃわん》がまだあって、それにご飯をよそったりしています。

どうしてもあなたに伝えたいことがある。

どうしても聞いてもらいたいことがあるんです。

たくちゃん、もう一度、一緒に公園のボートに乗ってもらえない？

昔のように、校歌を歌ってはもらえませんか？

もうすぐ桜が咲きます。公園のソメイヨシノが蕾《つぼみ》を付けました。小さな白い花が一斉に咲く頃、あなたと一緒にボートに乗りたい。

もう一度ジンクスに挑戦してみたいのです。

もしも、まだたくちゃんの心の片隅に、私のことがちょっとでも残っているのなら、どうか、連絡をください。私は今でも昔のあの部屋で暮らしています。部屋はたくちゃんが出ていったときのまま、いいえ、私が追い出したときのまま。真四角なあの部屋は、何もかもが昔のままで、時を超え、静かにあなたの帰りを待っているのです。

今を逃したら、いくら手を伸ばしても届かない場所に行ってしまうに違いない。手遅れかもしれないけれど、でも、もう一度、あなたに甘えてみる。

たくちゃん、ごめんね、私の最後の我が儘、もう一度聞いてください。ジンクスを一緒に打ち破ってください。

北条優子』

山崎琢也《やまざきたくや》様

代筆を終えても、私は今一つすっきりとした気持ちにはなれなかった。北条優子のもとに山崎琢也は戻らないような気がした。

手紙を代筆する前までは、希望を持っていた。あるいは一通の手紙が奇跡を起こすことだってあるようにも思えた。けれども、北条優子の字体を真似て、代筆を進めるうち、むしろその可能性が薄いことを悟《さと》った。それは代筆屋の勘とでも言うべきもの。

冒頭に、拝啓《はいけい》などの挨拶《あいさつ》の言葉は書かず、咲くよ桜、という短い一文を起筆《きひつ》とした。最初に、依頼人の願いを一言詩で伝える作戦である。咲くよ、の中に、昔の二人の関係を思い起こさせる和《なご》やかな気安さを滲《にじ》ませた。

書き上げた手紙を北条優子は気に入ってくれた。何度も礼を言われたが、私の心は浮かなかった。だから、いつものように、お礼は成功報酬で、と申し出た。

「もしもあなたが山崎琢也とまた一緒にボートに乗ることができたなら、そのとき、代金を請求いたします」

一月後《ひとつき》、一通の手紙が北条優子のもとに届いた。優子はそれを持って私のところにやって来た。井の頭公園のソメイヨシノの蕾が開きはじめていた。満開を待ちきれない人々があちこちから集まって来て、花見がはじまっていた。酒に酔った人々の騒がしい声が、公園の方角から風に乗って届けられていた。

北条優子は黙ってその手紙を私に手渡した。私は封筒の中から真っ白な便箋《びんせん》を取り出しては開き、人の心を覗くように見つめた。

『ゆうちゃん

手紙うれしかった。心の籠《こ》もったあなたからの手紙、ちょっと涙ぐみながら読み終えました。ありがとう。ぼくのことをちゃんと覚えていてくれたんだね。なんと言ってお礼をすればいいのか分からないよ。あの時期が生き返ったような、そんな気分です。それだけで、もう、あのときの自分は報われたって感じです。ぼくはあの頃、毎日、あなたに愛されたいって努力をしていたから。それで、ゆうちゃんが楽しそうじゃないのは自分のせいだって、いつも思い込んでいた。ゆうちゃんが幸せじゃないのは自分が不器用だからだって、追い込んでいた。だから、あなたからの手紙で、過去の自分はようやく幸福を手に入れることができました。

自分は、来週、結婚をすることになっています。去年の暮れに知り合ったばかりの人です。今は静かに着実に新しい人生に向かって歩いています。

井の頭公園の桜、また見たいな。でも、瞼を閉じるとまだちゃんと、まるで昨日のことのように鮮明に思い出すことができる。うん、ゆうちゃんとボートに乗ったときのこともよく覚えています。三百六十度、全部満開の桜だったね。あの桜は一生、ぼくの心の中で咲いていることでしょう。思い出を一生大事に持って生きていくことにします。

こちらこそ、ありがとう。

山崎琢也』

私は北条優子と公園を散歩した。優子は開きはじめた桜を見上げて、めそめそと泣いた。人々が桜の木の袂《たもと》で宴会をしていた。呑《の》んでいきませんか、と会社員が紙コップを差し出した。

見ず知らずの人たちと杯《さかずき》を交わした後、私と優子は当時としてはまだ珍しいカラオケマシンが置いてある歌謡スナックへと行った。責任を感じているわけではなかったが、このまま追い返すわけにはいかなかった。私は彼女を励ますために得意な喉《のど》をならした。優子に笑顔が戻った。

「本当に自分勝手だった。きっとあの人は私のところに戻ってきてくれるって、どこかで思っていたんだから、もう本当に救いようのない、どうしようもないお馬鹿《ばか》さんね。先生にたくさんご迷惑を掛けてしまいました」

ふらりと立ち寄った駅前のバーで、優子がそう呟いた。時間が早いせいでほかに客はいなかった。ミーシャに餌《えさ》をやらなければならない時間だったが、仕方がない。あいつは最近太り気味なので少し我慢をさせるか。

「ねえ、先生、お願いがあるんです」

北条優子は改まって言った。

「もう一度、たくちゃんに手紙を書いてもらいたいの」

「もう一度？」

うん、と北条優子は頷いてからグラスのウイスキーを嘗《な》めた。鼻をすすり、小さく微笑むと、

「結婚を祝福する手紙を書いてもらいたいの」

と言った。

「私ね、ようやくたくちゃんのことをどれほど好きだったかが分かった。好きで仕方がないということがようやく分かった。でも、あの人を幸せにできるのは私ではない、ということも同時に分かってきた。悲しくて仕方がないことだけど、でも自分がそういうふうに生きてきてしまった結果だもの、受け止めないと。最後の最後まで私は自分勝手な女だった。だからね、せめて心からあの人の結婚を祝福したいの。妬《ねた》みや羨《うらや》ましいという気持ちは今はありません。あの日の青空のように、雲一つないの。ただ、

あの人が見つけた幸せを祝福したい。ねえ、先生、代筆してくださいい。私の今の心を」

北条優子は微笑みながら泣いていた。満面に笑みを浮かべながら、二つの小さな眼球は赤く染まっていた。優子がふと何かを口ずさみはじめる。彼女は泣きながら、思い出の校歌を歌っていたのだった。彼女が歌いきるのを待ってから、私は、分かった、やってみましょう、と同意した。

「ありがとう。先生、本当にありがとう」

家に戻るとミーシャがおなかをすかせて待っていた。餌を与えた後すぐ、私は祝福の手紙に着手した。心のスクリーンにまだ桜が咲き乱れているうちに。


よりを戻すために綴《つづ》らなければならない手紙は大変に難しい。しかも相手はすでに結婚を決めている。一方的な別れを申し渡したのは優子の方からで、今更、どのような言葉を紡《つむ》いでもその距離を埋めるのは並大抵のことではない。けれども、勝てない戦《いくさ》にも挑《いど》み方というものはある。優子が思い出す琢也との思い出はすべて本物である。私はそのことを手紙の中心に据《す》えた。

――悲しいことより、どうしても、楽しい、美しい、幸福なときの記憶ばかりを思い出してしまう。目をつむると、あなたに大切にされた思い出が真っ先に蘇ります。そして毎日のように、たくちゃんのことを考えています。

戻ってきた手紙の中に次の一文を見つけたことで、私はほっとした。

――あなたからの手紙で、過去の自分はようやく幸福を手に入れることができました。

二人は過去の蟠《わだかま》りを乗り越えて、この瞬間、一つになれたのだと思う。新しい人生を歩みはじめたかつての恋人に向けた祝福の手紙を書いてほしい、と優子は言った。この依頼は、優子の成長を物語っているばかりではなく、彼女自身の出発をも示している。

私は二人がそれぞれの過去を大事にしながら、それぞれの人生を歩きはじめるにあたって、一つの青空を生涯持ちつづけることができるような手紙を書けないものか、と密《ひそ》かに努力した。

『開花したよ桜

井の頭公園の桜が一斉に開花しました。また今年も白い桜の花びらが公園の周りを美しく埋めています。人々は満開の桜の下で宴会をしています。私は一人でボート乗り場に行きました。係員の人にオールの漕ぎ方を習ったけど、いざやってみると、オールを同時に操ることができず、片方が宙を漕ぎ、片方は水の中に突き刺さってしまうという哀れ。

ボートって面白《おもしろ》いね、オールを漕ぐ人の背中の方に向かって進むんだもの。まるで人生のよう。

そうだ。前にたくちゃんと一緒に乗ったときも、たくちゃんの背後に向けてボートは進んでいた。私が声を出して、ナビゲーションをしたんだよね。

あのときのたくちゃんのやり方を思い出しながら、私はもう一度やってみた。今度はオールが同時に水面を叩《たた》きました。でも、たくさん水が跳《は》ねた割にはボートは前へ進みません。係員がやって来て、ボートの後ろを押してくれました。桜の枝の下を潜《くぐ》って、ちょっと広い場所にボートが移動します。後ろの人たちに追い越される。若いカップルたちだった。男の人は必死でオールを漕ぎ、女性はずっと微笑んでいた。

私は深呼吸をしてから、もう一度オールを握り直します。そして、ゆっくりと漕ぎました。すっとボートが滑り出す。思わず笑みがこぼれる。もう一度、私は気を緩《ゆる》めずにオールを漕いだの。背中の方に向かってボートが動き出した。動いた。やった、動いたよ。私は誰に言うでもなく、そう叫んでいました。

満開の桜が見えました。周囲を見回す余裕も出てきた。一漕ぎ、一漕ぎ、私は大切にオールを漕ぎました。私の視界の先にはボート乗り場が見えます。もう随分《ずいぶん》と遠くまでボートは移動しています。振り返ると、対岸が迫っている。宴会をやっている人々が見える。ボートを止めました。うっすらと汗をかいています。でも心地よかった。たったこれだけのことなのに不思議なほどの達成感がありました。

酔っぱらいが私に向かって、おーい、と叫んでいます。男の人たちが数人、水際に乗り出して私に手を振りました。私はたくちゃんがそうしたように、オールをボートの中に仕舞い、用心しながらボートの上に立ち上がったのです。池の辺《ほとり》で騒いでいる人たちに向かって手を振った後、姿勢を正し校歌を歌いはじめます。一番の歌詞は覚えていたけど、二番はすっかり忘れていました。でも、ハミングになっても、最後まで投げ出すことなく歌いきりました。たくちゃんと花嫁さんに届くように大きな声で。

これは私の、二人に向けた応援歌、結婚を祝福する歌です。

私の歌は届きましたか？

たくちゃん、結婚おめでとう。たくちゃんの幸せを私は心から応援しています。私も負けないように、頑張ろう。誰かを探さなきゃ。真剣に。

四月吉日　北条優子』

山崎琢也様

第三章　『過去に囚われず、未来に縛られず』

苦いコーヒーが評判の、頑固《がんこ》な男が経営する喫茶店だけあって、ここに集まって来る人々も同じように個性的な連中ときている。

店主自らペンキを塗ったという壁は客らが吸う煙草《たばこ》のせいで、元の色を想像することができないほどに黄ばみ、店内はまさにセピアの写真を見ているような古めかしさだ。

加えて、常連客らはみんな店主に負けないほどあくが強い。しかめっ面《つら》でキセルをふかす老人や、抱えきれないほどの本を読み漁《あさ》る学者もどきや、何を思い出しているのか始終にこにこ微笑《ほほえ》んで何杯もコーヒーをお代わりする中年の女性など、一癖も二癖もありそうな連中が集まって来る。

はじめての客は戸を開けた途端にしり込みするような威圧感が店中に漂っていて、私もはじめて訪れたときは落ちつかず、コーヒーを一口飲んだだけで退散した記憶がある。

けれども今ではここの雰囲気がすっかり気に入り、店の気配《けはい》にも溶け込み、私も変わり者の常連客の一人となった。

あるとき、カウンターでコーヒーを飲んでいると、年老いた男性がすり寄るように隣《となり》の席に腰を下ろした。老人は正面をじっと見据えたまま口許《くちもと》に笑みを浮かべ、頷《うなず》いている。

嫌《いや》な予感がしたので、かかわらないようにしていると、

「あなたのお力をお借りしたいのです」

と老人は柔らかい口調で告げた。

私は顔を上げて、周囲を見回した。店主はカウンターの奥で雑誌を読んでいた。老人の声はあきらかに私に向けられたものである。

横顔をそっと覗《のぞ》き込むと老人は眼球だけを私の方へ向けた。

「代筆ですか？」

言うと、老人は、そうです、と告げた。

「謝礼はうんと弾みます」

うんと弾む、という一方的な言い方が気に食わなかった。

「まだ、お引き受けするかどうか、決めたわけではありません。謝礼の話はそれからで結構です」

私が返すと、老人は微笑み、ようやく私を振り返った。

よく見ると、僅《わず》かに目が斜視《しゃし》で、視線は微妙に私から外《はず》れ、どこか違う世界へと注《そそ》がれていた。どちらの眼球を見て話せばいいのか迷いながら、両方の目にそれぞれ照準を合わせてみるが、蜃気楼《しんきろう》を見ているように摑《つか》みどころがなかった。

老人は笑った後、

「遺書を書いていただきたい」

と低い声で要請した。

老人は顎《あご》を引き、私をじっと見つめた。視線の重心というべきものが微妙にぶれるせいで、私は不意に、緊張をした。うろたえたと言うべきか。

「遺書ですか？」

このような依頼ははじめてだった。小説の題材を探していた私にとって、老人の依頬は心をくすぐられるものだった。見た目、老人は今にも死にそうな感じではない。血色も悪くなく、健康的に見える。

「遺書というと？　遺産問題とかが絡《から》んでいて、前もって書いておきたい、とか？」

老人はかぶりを振った。

「いいや、そうじゃない。純粋に遺書です。もうすぐ死のうと決めているので、その前に家族に向けて自分の気持ちをちゃんと残しておきたいのです」

「もうすぐ死ぬっていうのは？」

思案げな顔をして老人は数十秒、沈黙し、それから吐き出すようにこう言った。

「自殺するつもりです」

老人の視線が不意に、私の視線を捉《とら》えた。僅か一、二秒の出来事だ。いいや、と私は嘆息《たんそく》を吐き出すのと同時に戻した。

「あなた、死ぬつもりはないですね」

人さし指を老人の胸元に突きつけた。すると老人は口許を緩《ゆる》めて微笑み、

「分かりますか？　でもなんで分かったの」

と吐き出した。

「死のうとしている人間は代筆なんか頼まない。だって、死ぬんですもの、後のことをそこまで気にするものでしょうか？　財産分与の方法など事務的な問題だったら、代筆屋の文章でなくとも十分。むしろ代筆を頼むからには、ご自身の存在を誰かに強くアピールする必要があってのこと、でしょ？　遺書というものを利用しようと考えているのでは？」

私がそう返すと、老人は好奇心を顔中に滲《にじ》ませ、それで、と呟《つぶや》いた。

「遺書を使って、誰かの気を引きたいのじゃありませんか？　説得力のある遺書が必要なんです。それをわざと見つけやすい場所に隠しておいて、たとえばだけど、家族に発見させる」

老人の顔がぱっと明るくなった。

「つまり、心配をさせたいわけです」

うんうん、と老人は唸《うな》った。

「すごいな。そこまで分かってしまうんだ。さすが代筆屋。当たり。大当たりだよ」

老人は身を乗り出して告げる。私は迫ってくる老人を押し返すように、もう一度、人さし指で彼の胸元を指した。

「あなたがなぜそのような手の込んだことをしなければならないのか、その理由までは分かりませんが」

　呼応するように老人は姿勢を正し、うん、と力強く吐き出した。

「居場所がないんですよ。つまりは家族の中に居場所が」

　言いながら、ポケットから名刺を取り出した。聞いたことのある外食産業の会社名が印刷されている。役職は会長となっている。

「会長って、社長の上でしょ。副社長、社長、副会長、そして会長ですよね」

　さよう、と老人は言った。言われてみると、確かに老人は高そうな革の上着を着ている。風貌《ふうぼう》の怪《あや》しさも会長の威厳と言われれば納得もできる。

「会長と呼ばれる人に会ったのははじめてです」

　と言うと、老人は笑った。

「会長なのに居場所がないんですか？」

「会長室はあるけど、誰も訪ねちゃ来ません。会社は息子たちが運営している。二十歳年下の妻はいつも遊び歩いている。私は額縁の絵なんです。つまり象徴だね。連中は、いずれ私が死んだら、本社の門のところに私の銅像を作るつもりなんです。事あるごとに、会長の意向という言葉を使って、身勝手な経営を正当化させる。そのための私はシンボルにすぎないんだ」

老人は内ポケットから葉巻を取り出し、火をつけながら、

「妻や息子たちが読んで、胸が痛くなるような、そういう遺書を書いてほしい。私をほったらかしにして、無視するあの連中への復讐《ふくしゅう》をしたい。恩知らずな馬鹿《ばか》者どもに気づかせる遺書。そういう痛烈なものをお願いしたい」

と言った。

「じゃあ、まず代筆の取材といきましょう。私の家にこれから遊びに来てください。言葉で説明をするよりも、私の実生活をご覧になってもらった方が早い」

成り行き上仕方なく、私は老人の後にくっついていった。穏やかな昼下がりである。焼きとり屋から香ばしい匂《にお》いが漂っている。公園の入り口で誰かがパーカッションを叩《たた》いていた。祭りでもあるのだろうか、縁日《えんにち》の準備が進んでいる。綿菓子《わたがし》の機械や、焼きそばを焼く鉄板などが見えた。色とりどりの風車《かざぐるま》が屋台の上でぐるぐる回っていた。

池の中程を突っ切る形の橋を渡った。前を歩く老人の背中を見つめながら、大会社の会長がこんな時間にたった一人でふらふら散歩などするものだろうか、と考えた。もしかすると、この人は会長などではなく、心の病《やまい》に侵されているだけのごく普通の老人なのかもしれない。

公園の縁《ふち》にぽつんと佇《たたず》むラブホテルの横を抜けて、狭い路地をまっすぐどこまでも歩いた。すれ違う人もいない物静かな住宅地。老人は私の存在など忘れてしまったかのごとく、もはや振り返ろうともしない。

時間だけが長閑《のどか》に流れていた。鳥の囀《さえず》りが聞こえたが、鳥の姿はどこにもなかった。しばらく歩くと、高木が生い茂る空間に出た。光が遮られ、ひんやりとした風が吹いた。老人は、ここです、と自分に言い聞かせるように呟いた。

光来《こうらい》と表札にあった。名刺に刷られていた名前と同じである。家の門構えはテレビドラマの時代劇などでよく見る、武家屋敷の長屋門《ながやもん》のような造り。

「じゃあ、行きましょう。遠慮《えんりょ》しないでください。私の家です」

老人は大きな門の横にある勝手口の戸を押し開けて中に入った。一瞬、迷ったがここまで来て戻るわけにもいかなかった。

勝手口を入るとそこはガレージで、車が二台並んでいた。ガレージの奥に建物の中に入る戸があり、鍵《かぎ》を使ってそれを開けた。薄暗い廊下を通り、リビングルームに出た。使われていない暖炉《だんろ》があり、壁には隙間《すきま》もないほど絵画が飾られていた。アンティークの家具がそこら中いたるところに置かれており、薄暗いその部屋はまるで古道具屋の倉庫のよう。

老人にすすめられて私は窓辺のソファに腰掛けた。薄いカーテン越しに芝生が見える。高木のあいだから差す太陽の光が水のないプールを照らしている。プールサイドのタイルに光が反射してそこだけが生き物のように眩《まぶ》しかった。

老人が紅茶のカップを持って戻ってきた。普段は手伝いの者がいるんだけど、と老人は言い訳するように言った。

「今日はなんだか朝から妻と一緒に銀座の方に出掛けているんだ。申し訳ないが、インスタント紅茶で我慢してください」

ティーバッグを摘《つま》んで、上下に揺すった。老人は葉巻の詰まった箱を持ち出し、一本すすめた。私は迷ったが一つを選び、口にくわえる。老人がマッチを放って寄越した。真似《まね》て火をつけるが、上手にできず、肺がむせた。

老人は大きなガラスの戸を開けた。外から吹き込む生ぬるい風がカーテンを揺らす。老人がマイルス・デイビスか何かのレコードをかけた。大きな部屋なのに、音量は小さかった。耳を欹《そばだ》ててようやく判別できる音量である。私の横の一人掛け用ソファに老人は深々と腰を下ろした。そこが彼の定位置のようである。

片面が終わると、老人は立ち上がり、ステレオまで歩き、盤を引っ繰り返し裏面を掛けた。がさがさ、と古いレコード盤が赤ん坊がぐずるようなノイズを出した。老人は何も語ろうとしなかった。仕方がないので、私は室内を歩き回った。どこか地方の、人の訪ねてこない個人が経営する博物館を徘徊《はいかい》しているようだった。

結局、無為《むい》な時間を過ごした後、私は代筆を引き受けてしまった。復讐の加担はごめんだったが、不在の家族たちにこの老人の孤独を知らせてみたい、とも思った。自信がないので私は、成功報酬で、と申し出た。なのに老人はかぶりを振り、前払いが私の成功の秘訣なんです、と言った。

「いつでもキャッシュ。それで成功してきました」

財布から一万円札を数枚取り出すと、私のジャケットのポケットにねじ込んだ。あとで数えて驚いた。新品の一万円札が二十七枚も入っていた。
その後私は老人に連れられ寿司《すし》屋に行き、彼の孤独の訴えに耳を傾けることになる。

『遺書

生きながら死ぬことと、死にながら生きることは似ているようだがまるで違う。死後、銅像になっていくら崇《あが》められても、今がない人間に過去の栄光など何の意味があろうか。昔自分が夢見ていた未来というものが、実際に辿《たど》り着いてみるとこれほどに苦痛なものだったとは。あの頃には想像さえできな……』

家に戻り、ミーシャの頭を撫《な》でながら、便箋《びんせん》に向かった。数行を書いたが、重たい気持ちになり、私は筆を止めた。そして、便箋を丸め、ゴミ箱に放り投げた。誰に向かってこの遺書を書けばいいのだろう。老人の妻や息子たちへか？　いいや、そうじゃない。そうではないのだ。しばらく窓外の、珍しく静まり返った吉祥寺《きちじょうじ》の街を見つめながら考えた。酔った若者たちの声が遠方で犬の遠吠えのように谺《こだま》する。

もう一度ペンを取り、便箋に向かい直した。そして書きはじめる。この一人の老人の人生を、意味あるものに変化させるために。

『遺書

わたしは贅沢《ぜいたく》な年の取り方をしてきた、とつくづく思う。何一つ不自由なく、この年まで食い倒れることもなく、自分の人生を最大限活用し、生きてきた。やろうと思ったことは悉《ことごと》くやり遂げ、もちろんそのときそのときに大変な思いはしたけれども、ひいき目に見ても順風満帆《じゅんぷうまんぱん》な人生を送った、と言えるものだった。

仮に今がとてつもなく寂しく、孤独なものであったとしても、わたしは感謝こそすれ、いったい誰に対して不平を言うことがあるだろう。

わたしは十分に生きた。いつ来るか分からない死を今わたしは焦《あせ》らず、動じず、静かに待とうと思う。それがわたしの残りの人生における重要な仕事でもある。

残された時間の中で何を今更焦ることがあろう。何に対してやっかむ必要があるだろう。慌てることなどもう何もない。ましてや憎しみも野心などもない。

妻がわたしを支えてくれたお蔭《かげ》で、わたしは人生の登山をつづけることができた。とくに小百合《さゆり》には多くの感謝がある。事業を起こしたときのあの忙しい最中、三人の子供の育児に青春の貴重な時間を奪われ、夜遅く戻り、朝早く出掛けるわたしのために朝食や夜食を拵《こしら》え、二十歳も年下であるにもかかわらず、何一つ不平を言わず、家を守ってくれた小百合。心底感謝をしている。

つい忘れがちになるが、くたくたになって仕事から戻ってきたわたしを毎晩出迎えてくれたのはお前だ。毎朝、元気に送り出してくれたのもお前。日々の愛情の積み重ねが、今のわたしを支えている。地味で目立たない努力だが、その愛情の堆積《たいせき》は大きい意味がある。忘れがちなこれらの努力に、私は今こそ気がつかなければ、と思う。

小百合がいなければこのような人生を歩むことができなかった。貴重な人生を私のために捧げてくれたこの人に、わたしはもっとも大きな感謝を言わなければならないだろう。

また、わたしの意思を受け継いで会社を大きくしてくれた三人の息子、琢磨《たくま》、文哉《ふみや》、勇樹《ゆうき》にも同じように感謝の気持ちでいっぱいである。お前たち三人が力を合わせて頑張ってくれたお蔭で、わたしが起こした会社は今日の成功をおさめることとなる。会社が創業以来最大の危機に陥ったあの七〇年代の半《なか》ば、三人の奮闘努力のかいあって、倒産の危機を脱し、持ち直すことができた。それればかりではなく、現在のような栄華《えいが》も手に入れることができたのだ。

わたしは三人の息子たちを誇りに思う。何一つ不安を抱えることなく、こうやってわたしが生きていられるのも、お前たちの努力のお蔭。このような立派な息子を授かって、わたしはいったい何に対して不平をこぼすことがあろうか。

幸せすぎると人間は時に、幸せの意味を失いがちになるもの。幸せとは何かということを忘れがちになる。思わず人生を侮《あなど》るとき、そこに見えない落とし穴の口が開く。感謝ができること、これは間違いなく幸福のあかしである。もしも死ぬ間際に感謝で胸がいっぱいになって逝《ゆ》くことができたなら、こんなに素晴らしい最期《さいご》はない。わたしはお前たちにたくさんの感謝を言い残してこの世を去ることにする。

今日までわたしを夫として、父親として、慕《した》ってくれたお前たちに心から感謝をして逝こう。感謝だけが人生を意味深いものとする。

大いに生きることができた。大いに人生を楽しむことができた。この素晴らしい人生にこそわたしは感謝を述べたい。
過去に囚《とら》われず、未来に縛《しば》られず。

光来徳三《とくみつ》』

第四章　『目を細めて、輝く水平線を』

『随分《ずいぶん》と長いことご無沙汰《ぶさた》をしておりました。封書に書かれているわたしの名前だけでは、わたしがあなたの人生に対して、いったいどれほどの関《かか》わりを持った人間かすぐには思い出すことができなかったのではないか、と想像します。それだけ長い年月がわたしたちのあいだを流れてゆきました。

思い出したくないような人間からの手紙に、きっと驚かれていることと思います。でもどうしても、あなたにだけはあのときのわたしの気持ちを伝えておきたかった。誤解されたまま、このまま一生会えずに、あなたは天国、わたしは地獄へと別々の道に押しやられるのは本当に辛《つら》いことですから。もっとも誤解と申し上げましたが、わたしが人を殺した事実はぬぐい去ることができるものではございません。その罪の償《つぐな》いは生きている限り、いいえ、死んでからもずっとつづくものだと思います。けれども、その罪を犯すに至る数日のわたしの心の動きをどうしてもあなたにだけは知っておいてもらいたかった。

この手紙は代筆屋さんに手伝ってもらって認《したた》めております。お恥ずかしい話、わたしは漢字も書けず、その上、手紙など滅多に書いたことのない人間です。しかも刑務所に長いこと服役《ふくえき》しておりましたから、ますます活字からは遠ざかっております。

知り合いの紹介で、この代筆屋さんと出会い、こうしてこの手紙が生まれている次第であります。わたしがとりとめもなく話す思いをこの代筆屋さんがわたしに成り代わってまとめてくださっています。代筆屋さんの横に座り、わたしは語っています。最近では目も悪くなってしまいましたので、書いては読んでもらい、また語る、という具合で、進めています。わたしの話し方がうまくないせいで、また記憶が古すぎるせいで、話の前後が多少ずれている場合もあるかもしれません。辻褄《つじつま》が符合しない場所などは、あなたの記憶と照らし合わせてお読みくださるよう、お願いいたします。

あの国道沿いにあったガソリンスタンドで働いていたのはかれこれ二十五年も昔のことになりますでしょうか。つい昨日のことのようにわたしは鮮明に覚えております。国道を挟んで正面に海、そしてスタンドの後ろは荒涼とした土地がつづいていました。光が眩《まぶ》しかった。いつも目を細めて働いておりました。スタンドに日除《ひよ》けがなかったものだから、やって来る客らはみんな線のような目をしていた。運転しているあいだ、運転手は海を見ることができません。だから給油中、百人中百人が必ず、海を見ていた。

あなたもよくガソリンを入れに立ち寄ってくれました。華やかな青色のスカーフが印象的だった。いっぱいにして、とあなたは言いました。満タンにして、ではなしに、いっぱいにして、と。風が吹くと、屋根のないフォルクスワーゲンの中で、あなたは乱れた髪を両手で押さえて笑った。笑っているのに、その目はとても悲しげでしたね。帰り際「またお店に来てね」とあなたはいつも言い残しました。みんなに言っているに違いないのに、若いわたしはその言葉を真剣に受け止めます。深夜営業のカフェレストラン〈ロングアイランドダイナー〉は、スタンドから車で二十分ほど走らなければならない場所にありました。仕事が終わると、わたしはスクーターを飛ばしたものです。

海風に混じって砂が舞い、危ないから、あの頃わたしはスキーのゴーグルを着けてスクーターを運転していました。ジャンパーは風のせいで、まるで潜水服のように膨らんでいた。ゴオゴオと、安物のジャンパーは乾いた音をたてたものです。

長距離トラックの運転手や街からわざわざやって来る男や女たちで店は賑《にぎ》わっていました。国道がカーブする丘陵《きゅうりょう》地帯にカフェレストラン〈ロングアイランドダイナー〉があった。おしゃれな店構えのせいでか、客は男たちだけではなく、若い女たちもいた。

あなたにとってわたしはただの客だったのかもしれないけど、わたしにとってあなたははじめて心を奪われた大人の女でした。そう、わたしはあなたに熱をあげていました。

がらんとした店の中に入ると、アメリカから取り寄せたという自慢のピンボールマシーンとビリヤード台が行く手を塞《ふさ》いで立ちはだかっていた。大きな音量で音楽が流れていた。華やかな恰好《かっこう》をした店の若い女性たちが料理や酒をせわしなく運んでいた。カウンター席とボックス席があり、あなた目当ての男たちはカウンター席に群がった。カウンターの中でカクテルを作るあなたのクールな姿にみんな釘付《くぎづ》けだった。

言い訳を一つ許していただけるなら、わたしはあのときまだ若かった。二十歳になったばかりです。何も知らない年齢といっても差し支《つか》えがない。

だからわたしには店主のフジタさんが、あなたを苦しめているようにしか思えなかったのです。

実際、店の裏の浜辺であなたがフジタさんに泣かされているのを目撃したこともあります。事件の一年ほど前のこと。泣いていたあなたはわたしに気がつき、フジタさんを押し退《の》けて店の中へと逃げ込みました。

フジタさんは、覗《のぞ》いていたわたしに向かって、お前か、と言いました。わたしは睨《にら》み返しました。でも、フジタさんは子供のわたしなど相手にしません。薪《まき》を担《かつ》いで、黙ったまま店の中に消えます。わたしは灯油を抱えて店の裏手に回り込みました。勝手口が開いていて、中が見えた。あなたはキッチンで泣いていた。声を掛けようか迷いましたが、やめました。あなたの唇が切れて血が出ていた。水彩絵の具のような鮮やかな朱色の血。それをあなたは舌先でそっと嘗《な》めた。

あなたは訴えるような目でわたしを見つめました。薄暗いキッチンに差し込む光があなたの顔を半分だけ輝かせていた。滲《にじ》む血が光った。二つの青白い眼球が暗がりの中で静かに呼吸しているのが分かりました。どきどきした。声を掛けることなんかできません。まるで生きている奇跡を目撃しているような、そんな奇妙な感覚。あなたは美しかった。本当に美しい。わたしなどが気安く近寄ることのできないほどに。

あなたはよく移動民族のように、深夜になると踊っていました。それがフラメンコという踊りだなんて、若いわたしに分かろうはずもありません。セビジャーナスという曲に合わせてあなたとフジタさんが踊るのを、客らはじっと見ていた。客の女たちは歓声を上げていましたが、男たちはいつもあなたの豊満な肉体と満面の笑みだけを見つめていました。

フジタさんがあなたに踊りを教えた、と誰かが囁《ささや》いていました。あなたとフジタさんがどのような関係だったのか、わたしには分かりません。でも、あなたがフジタさんに殴られているのを目撃したわたしには、二人が物凄《ものすご》く愛し合っているように思えてならなかったのです。愛しているから人は殴るのだ、と思います。そうじゃなければ男が女を殴るなんてことは許されるわけがありません。わたしの父は左官《さかん》でしたが、よく母を殴っていました。愛しているから、殴るんだ、とは父の口癖です。

フジタさんが違う女とスタンドに寄ったのはそれからまもなくのことです。わたしを見るなり、フジタさんは笑いました。若い女は街の人間らしく、鮮やかなピンク色のスカーフを首に巻いていました。ガソリンを入れているあいだ、フジタさんは女と口づけをしていました。ガソリンのにおいと女の香水の匂《にお》いが混じり合って、わたしの記憶の中にこびりつきます。分厚い唇を持った、動物的色気のある女性だった。わたしはフジタさんの運転するフェアレディが走り出すと、同僚に店を頼んで、すぐに後を追いかけました。

フェアレディは丘陵地帯を上がりきったところにあるモーテルに入りました。わたしはスクーターを止めて、湧《わ》き起こってくる憤りをどこに向けていいのか分からないまま、気がつくと一人砂丘を駆けずり回っていたのです。フジタさんがこのモーテルであなたにも同じようなことをしたのだ、と想像しながら。

その夜、あなたははじめてわたしに優しくしてくれます。口なんかまともに利《き》いてくれたこともなかったのに、あなたはわたしの横に来て、一緒にお酒を付き合ってくれた。

長距離トラックの運転手がわたしをからかいました。子供が出入りするような場所じゃない、と。するとあなたは、この人は立派な大人よ、と擁護《ようご》してくれたのです。みんなは笑いましたが、あなたは真剣な顔をしてわたしに口づけをしてくれた。わたしは石のようになり、みんなは笑うのをやめ、フジタさんは怖い目であなたを睨み、それからわたしはジンを吐き出してしまうのです。たまらず店を出てしまいました。

何が起こったのか分からず、店の裏の浜辺で呆然《ぼうぜん》と立ち竦《すく》んでいると、あなたが走ってやって来て、だって、あんな連中に馬鹿《ばか》にされることはないわ、と同情してくださいました。

「ごめんね、口紅がついちゃったね」

あなたはそう言いましたね。でも、その瞬間、わたしはあなたを愛していた。はじめてのキス。でも、十分に素晴らしいものだった。一生忘れることのできない思い出です。

あなたはわたしを抱きしめてくれた。わたしはあなたにしがみついた。興奮して何が起こっているのか分からなくなっていた。あなたは凄く酔っていました。フジタに愛されない腹いせで、わたしを抱いたのです。それが嫌《いや》というほどに分かって、辛かった。わたしは、星空の下、打ち寄せる波の音を聞きながら、溺《おぼ》れかけていました。

あなたが店に戻ってからも、わたしは動けなかった。あなたの唇は濡れていて、吸いつくようだった。いいえ、あとで冷静になって思い返してみると、あれは唾液《だえき》ではない。あなたの唇が濡れていたのは、頰《ほお》を伝わった涙のせい。

数日後、あなたが給油に立ち寄ります。もはや、真昼の光の下では、わたしのことなど眼中にはない。声を掛けても上《うわ》の空。サングラスで腫《は》れた目を隠していた。恐ろしい顔であなたは海を睨んでいました。おつりを手渡す前にあなたは車を走らせて出ていってしまった。

あなたの様子が気になり、わたしは灯油の配達の途中で〈ロングアイランドダイナー〉に立ち寄ります。フジタさんのとあなたの車が並んでいた。店は閉まっていて、静かだった。でもわたしは国道に給油車を止めたまま、動けなかった。ただじっと、〈ロングアイランドダイナー〉を見つめていました。

いつもの海を灰色の雲が覆っていて、どんよりと暗かった。分厚い雲が水平線の方から迫っている。風のせいでしょう。波が高く、うるさかった。

わたしがスタンドをやめるのはそれからまもなくのことです。国鉄の駅がある川沿いの街へと移り住みます。そこは海から遠く、陸地の街。二度と〈ロングアイランドダイナー〉へは顔を出さないことを自分に誓って。

駅の近くにあるガソリンスタンドでわたしは働きはじめます。街といっても繁華街は駅前の一角だけ、やって来る客らのほとんどは顔見知り、それがたまらなく嫌だった。三カ月ほどしたある日、スタンドに見覚えのある車が滑り込んできました。運転していたのはあなたです。目が合った途端、あれ、とあなたは言った。

「ここにいたのね。君があの店をやめちゃったから、すごく寂しかった」

あなたはそう言ってくれましたね。車を降り、わたしに鍵《かぎ》を手渡しました。一瞬、指先が触れた。

「わたしもあそこをやめた。いろいろとあってね」

いろいろとあって、という言葉がわたしの耳奥に残りました。車を洗いながらも、わたしの視線はあなたばかりを意識していた。

それからというもの、あなたは頻繁に立ち寄ってくれるようになります。夏の日の終わり、あなたはドライブをしよう、とわたしを誘います。店が終わり、わたしは待ち合わせをした駅前のロータリーへと急ぎました。光が突き刺さるように眩しかった。あなたは目を細め、まるであの水平線を見つめるような目でわたしを見つめ返していた。

あなたがわたしのはじめての女性でした。あなたは心の空白を埋めるためにわたしを必要としていたのだということは分かってました。それでもわたしはうれしかった。この日々をいつか失うときが来るのだろう、と想像しては、びくびくしながら生きることになります。でも、幸福とはそういうものだと思うのです。幸福すぎると人間は不安になるもの。だからといって、それが動機だった、と言うつもりなんて毛頭《もうとう》ありません。

あなたは何も言わなかった。ただわたしは感じ取っていた。そして、どうしたいのか分からぬまま、国道沿いのあのカフェレストランに向かいます。少なくとも、あのときのわたしは、フジタさんとあなたのことについて話し合うつもりでした。話し合ってどうなるものでもないのは分かっていながら。悲しいあなたの目をこれ以上見ていることができなかった。だから、話し合って答えをきちんと出すべきだろう、と思ったのです。

真っ暗な海岸線に〈ロングアイランドダイナー〉の光が浮かび上がっていました。次々にトラックが駐車場に吸い寄せられていき、大きな体軀《たいく》の男たちが、車内から転がり出るように降りてきました。深夜までずっと、わたしは国道を挟んだ草むらに寝転がり監視員のようにカフェレストランを見ていたのです。でも結局、その日は何もできず、太陽が海の向こう側から昇るのを確認して、家路《いえじ》につきました。

仕事をしながらも、わたしはあなたのことばかりを考えていた。年上の、甘い香りのするあなたのことを。寝ても覚めても働いていてもいつもどんなときでも。

事件の日、わたしは仕事を早く終えて、あなたの家に向かいました。スクーターをいつものように駐車場の端に止めたとき、視線の先に見覚えのあるフェアレディの赤い車体が飛び込んできます。わたしは動けなくなった。

夕刻、戸が開き、フジタさんが中から出てきました。一瞬、あなたが見えたけど、どのような顔をしていたのかは分かりませんでした。泣いているようにも見えたし、笑っているようにも見えた。でもそんなことはどうでもよかった。

わたしはスクーターで、フジタさんを尾行《びこう》します。フジタさんはわたしの尾行に気がつきます。そして事件現場となった橋の中程で車を止めました。わたしもスクーターを止めました。二人は潮風の中で睨み合います。殺意などはありませんでした。あなたのことを、あなたを自由にしてほしい、とお願いしようと思っただけです。スクーターを降りて、まっすぐにフジタさんと向かい合いました。でも気がつくと揉《も》み合いになっていた。揉み合うきっかけですか？　分からない。何もなかったわけではありません。そうだ、雲から太陽が顔を出したんだ。光がわたしたちを包み込んだ。眩しくて仕方がなかった。そして、あなたがするように、フジタさんが目を細めて海の方を見たのです。

あの視線だった。

そしてあの水平線を。

なんだ、お前か、と呟《つぶや》いた後に。

波の高い日でした。水平線の彼方《かなた》で金波銀波が輝いていた。わたしも一瞬、海を見ました。波が海岸線に打ち寄せて、飛沫《しぶき》があがった。わたしたちは摑《つか》み合ったまま、海と川の中間の位置に落ちた。水の上に顔を出すと、一面が朱色に染まっていた。血の中にいくつかの泡が見えました。なのに彼は浮かび上がらなかった。

我に返り、慌てて一帯を探し回ると、少し離れた緩《ゆる》やかな流れの中に、フジタさんが浮かんでいました。海から寄せる波と川の流れが微妙にせめぎ合う場所で。

引き潮の時間だったせいで、水が浅かった。橋桁《はしげた》の袂《たもと》のコンクリートで頭部を打ったのでしょう。警察でわたしは、フジタさんと言い合いになった、と嘘《うそ》をつきます。車とスクーターがぶつかりそうになって、文句を言ったら、喧嘩《けんか》になった、と。

あなたに迷惑が及ぶのを恐れたせいです。突発的な出来事だった、と繰り返しました。実際、ある意味では、そうだったのです。あのようなことになるとは思ってもいなかった。いいや、でも、ああなることを心のどこかで望んではいたのかもしれません。

服役しているあいだ、わたしはずっとフジタさんに謝罪をしつづけていました。毎日毎日、祈りつづけていました。出所してからすでに十年ほどが経《た》ちます。その間、あの街に足を向けることはありませんでした。

ところが、数年前、ふとしたきっかけで、同級生とこちらで再会を果たします。その人物を通して、あなたが〈ロングアイランドダイナー〉を受け継いだ、ということを知ります。二十五年も経っているのに、同じ場所でいまだに〈ロングアイランドダイナー〉は生きつづけているのですね。あなたはそれほどあの人のことを愛していた。

わたしはあなたに会って、きちんと謝らなければならないだろう、と考えました。でも、あなたは会いたくないかもしれません。だから、こうして長い手紙を認めることにしたのです。手紙があなたの手元に届くかどうか、わたしには分かりません。あなたから返事が来るとも思ってはいません。でも、あの日から今日まで、わたしはずっと一人で生きてまいりました。あなた以外の人を誰も愛さずに生きてきました。寂しくなると海を見に出掛けます。そして一日中、目を細めて、輝く水平線を見つめています。あなたがそこにいるような気がしてならない。

結局、わたしはあなたを一番悲しませた人間になった。自分が望まなかったことです。まったく望まなかったことでした。

事件についてどう謝っていいのかはいまだに分かりません。だから、手紙を出そうと思います。憎しみが戻って来ても、いかなる言葉が戻って来ても、わたしはそれらをきちんと受け止めるつもりでいます。わたしという人間が滅びるその瞬間まで。

緒方修司《おがたしゅうじ》拝』

日野昌代《ひのまさよ》さま

第五章　『この際、はっきりとさせるために』

とにかく気が弱い女性の依頼人であった。それは一目ですぐに分かった。もじもじしていて、つねに俯《うつむ》き加減、目が合うとそらしてしまう。しかも声が小さく、何度も、聞き返さなければならなかった。

こんなに気が弱くて生きていけるのかしら、と思わず心配したくなるような女性だった。半井《なからい》ひさみは服飾関係の会社で働くオフィスレディである。

レオナルドのいつもの席でわたしはこの人と向かい合っていた。優柔不断な自分自身が招いた現実を打破《だは》するための、つまりは、この際すべてをはっきりとさせるための依頼ばかりであった。

まず最初のものは、苦手な同僚岸辺時雄《きしべときお》から求められた交際を断るというものだが、どうやらこの岸辺、ひさみが嫌っていることにまだ気づいていない様子。ひさみ曰《いわ》く、岸辺時雄は極度の自意識過剰、自己中心的で思い込みも激しく、デリカシーに欠け、さらには、人の悪口を言いふらす癖もあった。

ひさみが好意を寄せているのは岸辺の隣《となり》の芳《は》賀聡《がさとし》。岸辺は芳賀にひさみのことを相談しており、そのことをひさみは大変気にしていた。

二つ目の依頼は芳賀聡に宛《あ》てる手紙で、岸辺が言いふらしていることがすべて嘘《うそ》だと否定した上で、芳賀聡にそれとなく恋心を伝えてほしい、というものであった。

三つ目の依頼は母親が持って来た見合い話を断るというもので、内気が災《わざわ》いして、先方の誠実な申し出を断りきれず、一度ならず二度までもデートを重ねており、先方の会社員穂延欣也《ほのべきんや》はすっかりその気になっていた。

そして四つ目はかつての恋人時任真二《ときとうしんじ》に向けての、腐れ縁を断る手紙であった。

二人は大学時代から交際をつづけてきたが、二年前にその関係は先方からの一方的な申し出で、終わりを迎えている。

内気な彼女は抗議をすることも、文句を言うこともできず、時任の身勝手な終息宣言を受け入れた。時任には新しい恋人がすぐにできた。どうやら、交際中から付き合っていたようである。

なのに、時任は時々ひさみを呼び出し、まるで恋人のように接する。友達と恋人の一線があやふやになる。いけないことだと思いながらも、気がつくとひさみは時任と朝を迎えていた。

ホテルから出るときのよそよそしさに毎回気分が滅入《めい》った。いったん着替えるために家に戻り、眠い目をこすりながら出勤する自分に嫌気《いやけ》がさす。しかも、時任は『昔の誼《よしみ》』という言葉を使って、ひさみに金の無心《むしん》をする始末。この際、虫歯の治療のように、これらの問題を一気に解決したい、と彼女は考えていた。

でも、とひさみは視線をそらし気味に告げる。

「私、誰にも嫌われたくないんです。時任さんと昔交際していたとき、お前は八方美人だな、と言われたことがあります。八方美人なのかもしれない。でも、みんなと揉《も》めたくないんです。それで気がつくと、いつのまにか八方塞《ふさ》がりになっている」

なるほど、と私は同意した。確かに、この性格じゃ生きていくのは大変であろう。

「でも、みんなに対していい顔で生きている限り、このような問題は今後もつづくのではないでしょうか？　言うべきことははっきりと言う。そういう努力をしていかないと、同じような問題がこれからも増えつづけることになりますね」

「でも、先生。だから先生のような方がいらっしゃるのでしょ。私のような優柔不断で、気の弱い人間のために、代筆をしてくださる方が」

ひさみは私をじっと見つめ、訴えた。

「まあ、そのとおり。私は代筆屋であって、精神分析医ではありません。代筆をすることで、あなたを助けるのが仕事です。余計なことを言いました」

するとひさみは表情を途端に緩《ゆる》め、そうじゃないんです、と言った。

「ごめんなさい。先生を責めたわけではないの。なんというのでしょう。自分のこの性格に苛《いら》立《だ》っているだけなんです」

ひさみは謝った。これは成功報酬ではなく、きちんと仕事として引き受けよう、と私は自分に言い聞かせていた。


まず最初は嫌われていることに気がつかず強引にアタックしつづける岸辺時雄に向けての手紙を書いた。かなり積極的で身勝手な男らしい。

そういう男を傷つけることなく、ごく自然にひさみの本心に気づかせて、彼の方から身を引かせる、というのはなかなか技のいる仕事である。

しかも岸辺の隣にいる芳賀聡はひさみの意中の人。岸辺が芳賀に相談することを踏まえて書かなければならない。会社内で悪い噂《うわさ》をたてられては元も子もない。地雷源を匍匐《ほふく》前進するような慎重さが必要であろう。

やれやれ、いったい私は小説も書かないで何をしているのだろう、と頭を掻《か》きながら失笑した。

『岸辺時雄さま

言葉が足りないせいでか、誤解を招くことも多く、大事な友達を失った経験があります。ですから、今回はこうして手紙を使って、先日のあなたからの申し出に対する私の気持ちをお伝えしようと思います。

仕事場では何かにつけ助けてもらうことが多く、本当に心強く思っております。私のようなものに目を掛けてくださったのも、その優しさからだろう、と思います。あまりに私がどじで、不器用なものだから、ほうっておけないのでしょう。きっと、その優しいお心のせいで、私のことを美しく誤解してくださっているのだと思います。でも、私はあなたの恋人に相応《ふさわ》しい人間ではありません。優柔不断でおっちょこちょい、しかも内気な私は間違いなくあなたの足手まといになる。嫌われるのは目に見えております。あなたのように、人生に対して積極的で、前向きで、溌剌《はつらつ》とした方には、やはり同じように光り輝く女性が似合うように思います。

岸辺さんの明るさは我が部の光です。あなたがみんなを勇気づけ、励まし、力強く引っ張っていく姿はまさに太陽に譬《たと》えるに足るものでしょう。あなたのような人を味方に持つことができる私たちは幸せだと思います。

私はこの性格が災いして、好意を抱いている男性がいるにもかかわらず、打ち明けられずにいます。その人の前に出ると、俯いてしまい、いつもの自分を出せなくなってしまうのです。岸辺さんの自然体の姿には本当に勇気づけられます。私もこれからは自分の気持ちをきちんと相手に伝えることができる勇気を持ちたいと思います。

仕事の上でも、プライベートでも、様々な面で岸辺さんには多くのことを学ばさせていただいているのだな、と改めて気づかされました。本当にいつもいつもありがとう。そしてどうか、これからも未熟な私をご指導ください。

あなたに嫌われるのはあまりに辛《つら》いことです。軟弱《なんじゃく》な私をどうか軽蔑《けいべつ》なさらないでください。お心の広いあなただから、きっと微笑《ほほえ》んで許してくださることと存じます。なんでも相談できる友人として長くお付き合い願えるならば、これほど心強いことはありません。

半井ひさみ』

そして意中の人、芳賀聡への手紙はこのようになった。

『芳賀聡さま

目の前の席に座っていらっしゃる方に、こうして手紙を書くというのは実に気恥ずかしいことですね。このようなものを手渡され、あなたが迷惑する様子を想像しては、筆先が自然、震えてしまいます。

けれども、誰にも相談できずに困っていることがあり、尊敬する芳賀さんにアドバイスをいただき、今の局面を打開できれば、と考えました。しかしこれは、大声で言えるようなものでなく、下手をすると相手を傷つけかねないデリケートな問題を孕《はら》んでおります。

用心に用心を重ねて手紙を書いていますが、私の配慮不足であるいは大きな誤解を生む可能性もあります。芳賀さんの寛大なお心でうまく読み解いていただけたら、と切《せつ》に願う次第です。

ご相談というのは、芳賀さんのお隣の岸辺さんのことです。私は彼から交際を申し込まれています。きっと私のことを買い被《かぶ》ってくださった上での勘違いだとは思いますが、私の内気が災いしていまだきちんとお断りをすることができずにいます。今回、ようやくお申し出をお断りする手紙を書くことができました。それを手渡そうと思っていますが、岸辺さんを必要以上に傷つけないか、そのことを心配しております。

芳賀さんは岸辺さんと親しそうにお見受けします。そこで、誠に身勝手なお願いではありますが、元気のない岸辺さんを見かけたら励ましていただけないものでしょうか。狭い世界ですし、しこりを残したくはありません。彼は私の大事な仲間です。私と岸辺さんとの関係がぎくしゃくするのは、我が部にとっても大きなマイナス。人間のできていない私のために、どうぞお力をお貸しください。

そして、これは余談ですが、筆の勢いに乗じて、個人的なことを少々告白させていただきます。芳賀さんの存在は今の私にとっては、希望の光なのです。仕事がうまくいかず苦しいとき、気がつくと私はあなたのことを見ています。あなたがそこにいるだけで、日々を乗り越えることができるから不思議です。

でもきっとあなたには可愛《かわい》らしい恋人がいらっしゃるに違いありませんね。臆病《おくびょう》な私は小さくなって、俯くばかりです。

とてもじゃありませんが、私はあなたに自分の気持ちを告白する勇気はありません。だからいつもあなたを見ているのです。あなたが私の正面の席にいる。これだけで、心は晴れやかになります。あなたをこっそりと覗《のぞ》き見ることをお許しください。

気の弱い私にあと少しの勇気があれば、私はきっとあなたの前に立ちはだかって、自分の気持ちをお伝えできるのでしょうが。せめてこの手紙があなたの心に届くことを、今はただ祈るばかりです。

届きますように、届きますように。

半井ひさみ』

これらの手紙がどの程度功を奏すのかは分からない。読み方によっては、鼻持ちならない女と切り捨てられる可能性もある。芳賀聡と面識がないというのが、代筆屋側としてのマイナスポイントであろう。

岸辺に送った手紙における最大のポイントは、あくまで自分のせいで、とへりくだる戦術を貫いた点にある。傲慢《ごうまん》な面を見せると、何を言いふらされるか分からない男のようだから、ここは下手《したて》に出ることとした。

——あまりに私がどじで、不器用なものだから、ほうっておけないのでしょう。きっと、その優しいお心のせいで、私のことを美しく誤解してくださっているのだと思います。

こう前置きした上で、以下につづく。

——私はこの性格が災いをして、好意を抱いている男性がいるにもかかわらず、打ち明けられずにいます。その人の前に出ると、俯いてしまい、いつもの自分を出せなくなってしまうのです。

ひさみの内気な性格は誰もが知っていることなので、それを利用した。意中の人がいることをさりげなく伝える方法は、乙部富士子《おとべふじこ》のときと同じやり方である。

今回は、

——岸辺さんの自然体の姿には本当に勇気づけられます。私もこれからは自分の気持ちをきちんと相手に伝えることができる勇気を持ちたいと思います。

と一文添えて、プライドの高い岸辺の気をできる限り害さないよう心掛けた。

一方、芳賀聡には、岸辺に言い寄られていることをほのめかしながらも、交際を断る手紙を書き上げたと告白し、その上で岸辺を慰めてやってもらえないか、とずうずうしくお願いする。

――狭い世界ですし、しこりを残したくはありません。彼は私の大事な仲間です。私と岸辺さんとの関係がぎくしゃくするのは、我が部にとっても大きなマイナス。人間のできていない私のために、どうぞお力をお貸しください。

その上で、筆の勢いに乗じて、個人的なことを少々告白させていただきます、とつづける。

――気の弱い私にあと少しの勇気があれば、私はきっとあなたの前に立ちはだかって、自分の気持ちをお伝えできるのでしょうが。

ここはチェンジアップの反対、内気な女がいきなりの剛速球で勝負することに。立ちはだかって、という言葉をあえて使うことで強い気持ちを相手に植えつける作戦だ。控えめなだけでは気持ちは伝わらない。さりげないが、ストレートな強引さというものも時には必要である。思いがけない一押しに、人の心というものは揺らぐものでもある。

さて、三つ目の、すっかりその気になっている見合い相手の求婚を断る手紙、というものを書いてみた。書きながら、私は正直、このような女性とは結婚しなくてよかったのではないか、と見合い相手の男性に同情を持った。

『穂延欣也さま

はじめてあなたとお会いして一月《ひとつき》が経《た》ちました。その間、私は揺れる心を隠してあなたと数度会うことになります。気を持たせるような行動、と批判をされても仕方がありません。私はあなたと食事をしたり、お茶を飲んだりしながら、少しずつ今の自分の気持ちというものの輪郭を摑《つか》んできたのだと思います。

私は何をするにも人の数倍は時間を必要とする人間です。だから、あなたとお見合いをしてから今日まで、結論を出すのに時間が掛かってしまいました。それはひとえに私のこの優柔不断な性格によるものです。あなたはその間、辛抱強く私の気持ちを待ってくださいました。あなたも私も、両親の持ってきた見合い話を断れず、いわば人工的に出会ってしまいました。そういう出会いにもかかわらず、あなたは堅苦しくなく、態度も言葉遣いもごく自然で、いつだって昔ながらの友達のように優しく振る舞ってくださった。そういうあなたのお心遣いには感動さえ覚えたほどです。

けれども、今の私にはあなたの妻になる資格はありません。と申しますのは、私には長年にわたり何度も忘れようとこころみたのにどうしても忘れることのできない男性がいるからです。その人との別れはいまだに尾を引いております。

あなたと知り合いになった頃、あるいはあなたのその優しさに甘えて、いいえ、優しさを利用して、というべきでしょうか、あの人の思い出をぬぐい去ることができるのではないか、と考えました。でも、そうではありませんでした。むしろ、記憶ははっきりと私の中で生きつづけていることを知るのです。まるで亡霊《ぼうれい》のように。

あの人を忘れられない以上、私はあなたと結婚をすることはできません。それではあまりに失礼ですし、ずうずうしすぎます。そのような裏切りの心で人さまのところに嫁《とつ》ぐことはできません。心は正直です。過去の記憶が心に染みついている限り私は誰とも結婚はできないのです。あの人のことを葬《ほうむ》り去ることができないのでは、あなたを将来苦しめるだけです。そのことにはっきりと気がついてしまった以上、あなたに甘えて、楽しい日々を過ごすことができない、と悟《さと》りました。
短い出会いでしたが、有意義《ゆうぃぎ》な時間でもありました。本当にありがとうございます。
またいつか、どこかで、人工的にではなしに、ひょっこりと自然に出会うことを密《ひそ》か
に期待しております。どうぞ、お元気で。忙しい日々でしょうが、お身体《からだ》をお大事に。

穂延欣也さま

半井ひさみ』

そしてもう一つ、腐れ縁の昔の恋人、時任真二へ向けた決別の手紙がこれである。

『真二へ

私はあなたにふられた。あなたには恋人がいる。なのに、私たちは時々関係を持ってしまう。もちろん、今でもあなたのことは好きよ。だから、私はあなたの強引な誘いに屈して体を許してしまうの。あなたに可愛らしい恋人がいるということを知りながら。でも、誤解しないで、あなたに惚《ほ》れているわけではないのよ。あなたに抱かれてみせて、私はただ、私からあなたを奪ったあなたの新しい人に対して復讐《ふくしゅう》をしているだけなの。あなたに抱かれながら楽しかった日々を思い出したりはしていないの。あなたの恋人がこれを知ったらきっと奈落《ならく》の底に落ちるだろうなって思いながらあなたに抱かれているのよ。でも安心して、あなたの可愛い人には告げ口はしない。あなたの新居に乗り込んで、わめきちらしたりもしない。

私を抱いた後、あなたが不意に冷たくなるのはちょっと許せないけど、でもこれは復讐だから仕方がないわね。怖い？

あなたは昔から自惚《うぬぼ》れやさんだった。それは今も変わらない。馬鹿《ばか》よね。本当にどうしようもない馬鹿。どうしてあなたのような女ったらしに惚れたのかしら。あなたと別れてよかった、と今は思う。だって、蔭《かげ》で昔の女とエッチをされているかと思うと、ね。そういう誠意のない男だと分かっただけでもよかったわ。私はね、私のことだけを大切にしてくれる男性を見つけ出してみせる。そしてあなたに悔しい思いをさせるの。

あなたは私の内気なところをきっとどこかで利用していたのね。私がはっきりと拒絶できない、と思っていたのでしょう？　でも私はあなたを拒否します。お金を貸すこともできないし、もうあなたに呼び出されても出掛けたりしない。それはあなたのためたに。そのままあなたが悪い人間になって、くだらない男になり下がるのを見たくないから。私はあなたにこう言います。

「ありがとう。嫌いです」

真二。あなたは気がつくべきよ。人間はね、気がつく動物なんだから。気がついたら改善しなければ。そうじゃないとあなたの人生はずっと同じことの繰り返し。今の彼女も私のように苦しむことになる。それを繰り返してあなたは幸せなの？

愛ときちんと向かい合ってもらいたいの。人の気持ちを自分のこととして考えてもらいたいの。私は真二の優しさを信じている。だから、もう甘やかさないね。私にこれ以上、甘えても駄目よ。

復讐は終わったから、これからはお礼をする。あなたの人生が幸福なものとなるように。だから、ここでお別れ。あなたはあなたの道を歩きなさい。私は私の道を探します。

真二。くだらない男にだけはならないでね。出会ったときのあなたは輝いていた。あの日のあなたはずっと私の中にいます。じゃあね、ばいばい。

ひさみ』

半井ひさみは、四通の手紙をその場で読み終えた後、小さく頭を下げた。私は代筆料を受け取った。彼女はずっと黙ったままだった。

「どうするつもりですか？」

私はそう投げつけてみた。彼女は、分かりません、と呟《つぶや》いた。

「でも」

とひさみはもう一度言った。

「でも、代筆を依頼してよかった。先生、ありがとうございます」

半井ひさみは今度は頭を深々と下げた。そして、

「自分のことがよく見えました。自分がどれほど駄目な人間だったのか、ということも」

と付け足した。私は半井ひさみを駅まで送った。吉祥寺《きちじょうじ》駅の改札口前で私は用意しておいたもう一通の手紙を取り出した。ひさみが、きょとんとした顔をした。

「もう一通、代筆をしておきました。代筆料はいりません。これはサービスです」

ひさみは封筒に書かれた自分の名前を見つけた。裏返すと、そこにも自分の名前が書かれてある。ひさみが首を傾《かし》げる。

「あなたからあなたへ」

私はそう言い残し、踵《きびす》を返した。

『半井ひさみさま

私はあなたが嫌いです。あなたは私が嫌いですか？
あなたは私を変えたいとは思いませんか？
私はあなたを変えたいと思います。
今が変えるチャンスかもしれませんね。
私はあなたが好きです。あなたは私が好きですか？

半井ひさみ』

第六章　『でも死のうとは思わない』

焼きとり屋のカウンターで呑《の》んでいると、レオナルドのマスターがやって来た。

「一緒しても構わない？」

カウンターはほぼ満席だった。私の隣《となり》がたまたま空《あ》いており、彼はそこに腰を下ろした。夏の日の夜。風がなく、暑くてたまらなかった。酔っぱらった学生たちが上の宴会場で騒いでいる。

生ビールで乾杯をした。マスターは一気にビールを呷《あお》った。遠く、喧騒《けんそう》の彼方《かなた》から花火の音が聞こえた気がした。花火ですかね、と聞いた。まさか、とマスターは言った。二人は耳を澄まし合った。目の玉だけがきょろきょろと動いている。二階で騒ぐ若者の頓狂《とんきょう》な声が弾《はじ》けた。

「聞こえないよ。きっと空耳だろう」

「でも確かに聞こえたんだ」

マスターの隣に座っていた小太りの女性が、三鷹《みたか》で花火大会があるらしいよ、と言った。今日ですか、とマスターが振り返った。女はジョッキの中に残っていたビールを呑み干した。気持ちのいい呑みっぷりである。

そのとき、どん、と遠くで花火の弾ける音が確かにした。聞き逃しそうなほどに小さな、けれども地面から突き上げてくるような音。

「ほら」

と女は言った。

「ほんとだ、花火だ。いやあ、夏だねえ」

「夏だ、夏だ」

私たちは笑い出した。その夜はとことん呑みたい気分だった。誰かが、泡盛《あわもり》を呑みたい、と言い出した。私とマスターと初対面の中年女性の三人で吉祥寺《きちじょうじ》の北口にある沖縄《おきなわ》の酒を出す居酒屋へと出掛けた。

女は陽気だった。井《い》の頭《かしら》線のガード下に差しかかったとき、シャンソンの名曲を歌い出した。リズムのある、力強い声で。

『パラン、パラン、パラン……』

シャンソンを軍歌のように歌っていた。私とマスターは彼女の前に並んで立ち、拍手を送った。

夜は更《ふ》け、私たちはへべれけになった。大きな体をしているマスターが最初に酔いつぶれた。私たちは四十五度もある泡盛を一本空けてしまったのだ。美味《おい》しい料理でおなかもいっぱいだった。

「あなた、代筆屋なんだ」

酔いつぶれる直前に、マスターが喋《しゃべ》ってしまった。

「本職は一応小説家ですが、でもそれでは食べていけませんので」

と言い訳をした。中年女性は遠くを見つめたまま、

「小説家なのね。だから手紙なんかすらすらと書けるわけだ」

と呟《つぶや》いた。私は眉根《まゆね》を寄せた後、肩を竦《すく》めてみせた。

「まさか。手紙は鏡みたいなものだから、書いた人間の素性がばれます。代筆していることを気づかれずに、しかも相手の心に深く入り込む、そういう手紙を書くのは至《し》難《なん》の業《わざ》です。この仕事をはじめた動機は、小説の訓練になるだろう、と考えたからですが、でも、そんな甘いものではなかった。もちろん、勉強にはなるけど、責任が生

まれるので、毎回、ひいひい言って書いていますよ」

女性は私のお猪口《ちょこ》に氷を一つ入れ、そこに泡盛を注《そそ》いだ。

「私は手紙が苦手。文才がないし、それに何を書けばいいのか分からないからね。用件は電話ですませた方が楽だし、手紙を書くくらいなら会いに行った方が早いじゃない」

「分かります。でも、どうしても会いに行くことのできない人もいるんですよ。それに電話では伝えにくい問題もある。そういうとき、手紙は最適です。手紙というのは人と人との距離や時間や蟠《わだかま》りを上手に埋めてくれるものなんです。もちろん、書き方にもよりますが……」

女性は私をじっと見つめた。

「会いたくても会えない人か、なるほどね、よく分かるわ。よく分かる」

女は私が注ぎ返したお猪口の中の泡盛を、まるで男性のように豪快に呑み干した。

女性の目が仄《ほの》かに赤く充血しているのが分かった。

数日後、レオナルドのいつもの席にこの小太りの中年女性、芹沢比奈子《せりざわひなこ》がいた。私の姿を見るなり、芹沢比奈子は立ち上がり、お辞儀《じぎ》をした。客はほかにはいなかった。マスターがカウンター席に腰掛け、苦笑いを浮かべている。

「先生に代筆のお願いをしにまいりました」

芹沢比奈子には複雑な事情があった。彼女の最初の結婚は二十歳のとき。相手は五歳年上の洋食屋のコックだった。二人は銀行から借金をし荻窪《おぎくぼ》で小さな洋食屋をはじめた。まもなく長男が生まれた。長男が二歳、そして長女が生まれたばかりの年に、比奈子は家出をした。好きな男ができてしまっての駆け落ちである。一年後、離婚は成立するが、その時点で彼女は親権《しんけん》を放棄、比奈子は新しい男を選んだ。そして二度と子供たちには会わないという念書《ねんしょ》が前夫とのあいだに交わされた。

それから二十五年の歳月が流れた。比奈子の二番目の夫とは数年前に離婚をした。彼らのあいだに子供はいない。彼女は現在吉祥寺で小さな雑貨屋を営《いとな》んでいる。

「荻窪の洋食屋はまだ健在です。あの人は再婚をせず、男手一つで二人の子供を育て上げました。私は母親でありながら子供を捨ててしまいました。後悔の方が大きい。もう今更後悔をしてもどうなるものでもありませんがね」

女は決して涙を見せなかった。淡々とした口調でこれまでの日々を語った。

「今更おめおめと母親面《づら》して戻ることなんかはできません。それは分かっているんです。息子と娘が私のことを許してくれるとも思ってはおりません。そういう手紙を書いてほしいというわけではないんです。ただね」

芹沢比奈子は冷えてしまったコーヒーで喉《のど》を潤《うるお》した。マスターが真剣な顔付きで耳を欹《そばだ》てている。

「長男の孝介《こうすけ》がどうやら結婚するらしいのです。荻窪で暮らしていた頃のかつての友達から、私の実家を通して連絡があった。随分《ずいぶん》と悩みましたが、せめておめでとうの一言だけでも言ってやりたい、と思いまして。一人でぐずぐず悩んでいるところに、先生が現れた。もしかしたら神様のお導きなのではないか、と思いましてね。それでこの数日よく考えた上で、やはり代筆をお願いしよう、と。こうしてやって来た次第なのです」

なるほど、分かりました、と私は言った。芹沢比奈子はながながと自分の歴史を語りはじめた。最初の夫との出会い、それから荻窪に店を出すまでの経緯。その頃の生活の模様。不安、不満、精神状態。夫婦仲。新しい男との出会い。心の揺れ、迷い、悩み、決断。離婚、再婚後の生活、別れてしまった子供たちへの思い。この四半世紀の懺悔《ざんげ》。後悔、悲しみ。云々《うんぬん》。この長い物語の中に、代筆のヒントがあるようにも思えた。

「道で子供の手を引く奥さんらとすれ違うじゃないですか、そのときが一番辛《つら》かった。公園で子供と遊んでいる母親を見るじゃないですか、私はいつも目をそらしていました。交差点で親子連れに会うでしょ。私は避けるようにして、引き返していました。なのに、すべてを捨てて新しい男を選んだというのに、結局、その人は私のもとを離れていってしまったの」

芹沢比奈子は決して泣かなかった。むしろ、微笑《ほほえ》んでみせ、

「でもね、死のうとは思わなかった。それが私なんです」

と最後にぽつんと呟いた。

『孝介様

今更あなたたちに謝って許してもらえるなどとは思っておりません。この手紙も最後まで読んでいただけるだなんて想像もしておりません。でも、あなたが結婚をするということを人づてに聞いて、じっとしていられなくなりました。

あなたたち二人を捨てた女に、祝福なんてされたくはないでしょう。こんなずうずうしい人間を親に持って、あなたたちはさぞ辛い人生だったことと思います。謝っても謝りきれることではないので、私はこの際、謝らないことにします。

私は私が思うとおりに生きました。そのことで後悔をしたことはありません。私はそのような人間なのです。ただ、あなたたち、孝介と美香《みか》がどうやって生きているのかを想像しては苦しんでいました。後悔はしなかったけれど、苦しむことはあります。後悔はしなくとも、自分の人生に懺悔したくなる夜はある。その苦しみは今日までつづいています。でも、私は自分が一度選んだ方法を否定することはなかった。あなたたちを捨てて、男の人と新しい人生を歩き出したときでさえも、私は自分を強く肯定しておりました。私は自分に正直に、自分の人生を選んだだけだ、と言い聞かせていた。

あなたたちを残して家を出た後、私は新しい男性と遠くの街で暮らしはじめました。

毎日、楽しいけれども、悶々《もんもん》としていた。美香は生まれたばかりでしたから、心配だった。私のおっぱいからはお乳が自然に滲《にじ》んで出てきました。白い涙のようなお乳。その都度、私は頭の中が真っ暗になって動けなくなった。

でも、私は自分の人生を選んだのです。いろいろな人に非難されました。結局、新しい男性とも別れることになり、今は一人です。それでも私はまだ後悔を持ってはおりません。別れるにあたっては、それなりにやむを得ない事情がありました。あなたたちを置いて出ていったときにもやはりいろいろな事情がありました。簡単に言えば、愛の事情です。愛がなくなったり、愛がはじまったりしただけです。普通は我慢をして、自分の気持ちを押し込め、女というものは家族を維持するようつとめるのでしょうが、私にはできませんでした。だから私は家族を捨てて、愛を乗り換えたのです。

新しい男性が別の人に恋をして私のもとを不意に離れたときにも、これは私の選んだ人生だから仕方がないことだ、と納得し後悔することはしませんでした。

今は一人で吉祥寺で暮らし、雑貨屋を営んでいます。あなたたち以外に子供もなく、愛に翻弄《ほんろう》されることもない日々です。ただね、不意に心が苦しくなるだけ。馬鹿《ばか》だな、と思うだけです。

とくに、親子連れを見かけたり、テレビで家族を謳歌《おうか》する広告などを見ると、視線をそらしてしまう。二十五年ものあいだ、私は視線をそらしつづけて生きてきました。だから全力で仕事をして、夜は子供の決して来ない居酒屋なんかをはしごして、寂しさを紛らわせています。

そうです。日溜《ひだ》まりのようなもの、を避けて生きてきました。日溜まりのようなものはそこら中にあります。店の軒先《のきさき》にもあります。家の窓辺にもあります。住宅地の路地や、公園や、駅前、バス停、スーパーマーケットの駐車場など、至る所に。

日溜まりでは、ぼんやりとした幸福が揺れています。時間は停滞しています。温かく、長閑《のどか》で、幸福な場所です。光がさんさんと降り注ぎ、そこだけが浮き上がるように膨らんでいる場所、それが日溜まりです。子供の泣き声が聞こえてきそうな、ゆったりとした時間が流れているところ。そういう場所に迷い込むと孝介と美香のことを思い出してしまう。私は大声を張り上げ、後ずさりし、時には尻餅《しりもち》をついて、慌てて踵《きびす》を返し、一目散に逃げ出したものでした。

いまだに苦しみはつづいています。できるだけ人とは会わないで生きるように心掛けてきました。だから、誰かと親しくなる前に、私は人々から去ります。そういう意味では、いつも一見《いちげん》さんでした。見知らぬ居酒屋で、その夜だけどんちゃん騒ぎ。あとは二度とそこには出掛けない。常連にはならないようにするの。私が生きてきた素性を根掘り葉掘り聞かれるのは耐えられないことだから。

でも、だからといって後悔はしておりません。私は正直に一人の男性を好きになり、そのとき、あなたたちの父親を愛することができなくなっていたのだから、仕方がなかった。これからの残りの人生に、また愛する男性が現れれば、この年齢でも、私は恋に生きるでしょう。たった一度の人生だから、私は誰に対しても恥じることなく、自分の人生を全《まっと》うしようとするでしょう。

自分勝手な意見だと思われても仕方ありませんね。でも、私はこの生き方を変えることはできないのです。それがあなたたちを産んだ女の正体なのです。

自分を貫くことで、私は人生の半分を敵に回し、太陽からも嫌われ、日蔭《ひかげ》を好んで歩いて生きてきました。後悔はしていない、と自分に言い聞かせながらも、一方であなたたちの人生に対しては計《はか》り知れない謝罪を持って生きてもいます。迷惑を掛けたと思っています。許してもらえないと分かっていても、私は毎日、懺悔しつづけてきました。

後悔していないのに、毎日懺悔している、とはまったく奇妙な人生。でも、そういう人生だってあるのです。

孝介が結婚をするという噂《うわさ》を人づてに耳にしたとき、私の中にいくらかは残っていた母親というものの気持ちに、火がつきます。だからといって、のこのこ出ていけるほどはずうずうしくもありません。ただ、遠くからあなたが幸福でいるように、と祈るだけです。子供を捨てた母親に、子供の幸福を祈る資格があるかどうかは分かりません。ただほかにどうすることもできない私は、信仰《しんこう》もないくせに、ただ祈るだけなのです。

生まれたばかりの子供を捨てるような女ですが、あなたたちのことを忘れたことは一度としてありません。自分が幸福だったときですら、私はふとした瞬間にあなたたちのことを考えていました。後悔はしないよ、と自分に言い聞かせながらも、罪は強く感じて生きてきました。

毎日、毎日、居酒屋のカウンターの端っこの席で、私は私の記憶に眠るあなたたちの顔を思い出して、俯《うつむ》いてきました。その苦しみを紛らわすのに、お酒は唯一の理解者でもあり、決して裏切ることのない友達でもありました。酔ったら、井の頭公園の池の辺《ほとり》を歌いながら歩きます。でも絶対に泣かないの。泣いたら、あなたたちに失礼でしょ。本当に悲しいときは月を見上げ、そこにあなたたちの顔を重ねて、おやすみ、を言うのです。そういう日課がもう二十五年もつづいています。

あなたたちのお父さんは本当に偉いわ。たった一人であなたたちを育て上げたのだから。男が一人で子供を育てるだなんてことを、世の中がとても理解することのできないあの時代に。私はそういうあの人の優しさに惚《ほ》れて結婚をし、そういうあの人の強さについていけず違う男の人に走ってしまったのだと思います。完璧《かんぺき》な人だった。何をやっても非の打ち所のない完璧な夫。そこから逃げ出して、不完全な男の見かけだけの優しさに騙《だま》されて、挙《あ》げ句《く》に捨てられてしまう私の人生は、あまりにもくだらない。後悔をしない、と冒頭で宣言したのは、もしもこれで自分の人生に悔いたなら、もう私には何も残らないからに違いありません。

孝介と美香はどのような大人に成長したのでしょうね。孝介はどのような女性と出会ったのでしょうね。美香はきっと綺麗《きれい》になったことでしょう。立派な大人に成長しただろう、あなたたちのことを想像しながら、私は生きています。生きることで私はあなたたちへの罪を償《つぐな》っていきます。

このような自分勝手な女からの手紙に最後まで目を通してくださり、重ねて感謝をいたします。お二人が幸せになりますよう、私が生きている限り、お祈りをさせてください。孝介さん、結婚おめでとう。あなたの幸せを自分のことのように喜ぶ失礼をお許しください。不一《ふいっ》。

芹沢比奈子』

第七章　『ラブレターのすすめ』

恋に悩む人間にとって、ラブレターほど心強い飛び道具はない。相手に思いを届けたい人は恋文に頼るのがいいだろう。ところがどうやってラブレターを書けばいいのかが分からない人も少なくない。筆不精《ふでぶしょう》が災《わざわ》いして、せっかくの道具を使いこなせないだなんて、もったいない。

手紙には魔《ま》法《ほう》の力が潜んでいて、上手にその力を活用することができれば、思いは数倍に美化されて相手に届く。印象のいい恋文であれば、もらった方はイメージを上手に膨らませることができるし、送り手が自分の容姿に自信がなかろうと、あるいは内気な人であろうと、先方はいいように誤解してくれる。

人間は誰しもその内側に素晴らしい何かを持っている。その何かを上手に文章化できるのであれば、ラブレターは苦しい思いを代弁するもっとも頼もしい援軍となる。

高校時代、私の親友に無口で、その上ものぐさな男がいた。女性たちはこの男のことを、魅力のない男だと決めつけていた。でも、実際にはそんなことはなかった。感受性も人一倍豊かだったし、彼なりの美意識があり、何より男気があり優しかった。

ある日、その親友に隣《となり》のクラスの女の子を口説《くど》きたいがどうすればいいか分からず苦しんでいる、と打ち明けられる。何を隠そう、友人が惚《ほ》れた女性というのは我が校のマドンナ。みんなの憧《あこが》れの的である。勝負は最初から見えていた。でも親友は本気だった。打ち明ける前から諦《あきら》めたくない、と彼は言った。私はまっすぐなこの男の思いにかけてみたいと思った。

ラブレターにおいてもっとも重要なのは視点であろう。女性陣から見て冴《さ》えない男の、まず問題点を分析することからはじめなければならない。この親友君の短所は、ファッションセンスの悪さや性格の暗さなど、あげればきりがなかった。ところが仲間内の評判は決して悪くなかった。――仲間を裏切らない。情に厚い。信頼性がある。芸術家肌。余計なことは言わない。といった具合。要は見方。見る角度で人は見違えるように変化するものでもある。

弱点を長所に変化させられないものか、と考えた。想像力をいいふうに刺激できないものだろうか。恋文の書き方によっては、垢抜《あかぬ》けないこの友人も頼りがいのある優しい男にイメージチェンジできるはずだった。そこに詩的な要素を加えればなおいい。ポエジーで相手の心をくすぐるのだ。あるいは悲劇的な要素なんかもスパイスとしては有効である。打ち寄せては返す波のような、人間の細やかな迷いを描くべきだろう。その方が人間味のある魅力的な男性像を生み出すことができる。そして仕上げとして、どんと中心に楽天的な純粋さを置く。少年の心とでも呼ぶに相応《ふさわ》しい永遠の輝きを、できればさりげなく配置する……。フランス料理のレシピじゃないんだから。まったく。このとおりに書いたら恋文というより、悲劇小説が生まれそう！

冗談はさておき。私が代筆した恋文は、マドンナに手渡される前、全男子生徒の目を通過することとなった。彼らは笑った。こんなものであの誇り高きマドンナが落ちるわけはない、と。

ところが果たして。翌週、全男子生徒は私の親友とマドンナが手をつないで仲良く下校している姿を目撃することになる。

これぞラブレターの威力。手紙のマジック。マドンナ、君は私が書いた手紙によって、我が親友の長所を発見することができたのだ。二人は二年ほど交際して別れることになるが、親友は女性に対して自信を持つことができたし、代筆した私だって物書きとしての可能性を発見することになる。

当然私のもとにはラブレターの依頼が殺到する。あの頃の私は恋する暇《ひま》がないほど、仲間のために恋文を書いていた。その中には、こっそり好意を持っていた女性も含まれており、実際、私ほどのお人好《ひとよ》しもいなかった。

吉祥寺《きちじょうじ》で代筆屋をやっていた頃、一番得意としたのは恋文の代筆である。もっとも、恋文の正しい書き方とか、マニュアルなどというものは存在しない。だから、ここに紹介する手紙をそのまま写し書きしても無駄だ。人間は心の中に鍵穴《かぎあな》をいくつも持っていて、すべての扉を開けることができる殺し文句などは存在しない。合鍵《あいかぎ》はないのである。

人間一人一人に対して、一つ一つの鍵が必要となる。――これが恋文の鉄則。

新道美和子《しんどうみわこ》の家は井《い》の頭《かしら》公園駅と吉祥寺駅とのちょうど中間にあった。踏切から公園に向かって路地を下った突き当たり、生い茂る高木が住宅を隠す静まり返った場所。

そこから先はもう公園の敷地である。

道を挟んで高橋健哉《たかはしけんや》の家があった。二人は幼なじみで同い年。兄妹のように育った時期もあるし、同じ学校に通っていたこともある。その後、大学を卒業した美和子は一流証券会社に就職、健哉は吉祥寺の外《はず》れで車の販売ショップをはじめた。美和子は健哉のことを子供の頃からケニヤと呼んでいる。健哉は美和子のことをミワッチと呼んでいた。

美和子は物心ついた頃からずっと健哉のことが好きだった。レオナルドのいつもの席で淡々とその思いを語った美和子の声は震《ふる》えがちで、彼女が本当に長いこと彼のことを慕《した》って生きてきた歴史の長さを物語っていた。

一方健哉の方は美和子の気持ちなどまったく気がつく様子もなく、さっぱりとした性格で人に好かれる彼にはつねに可愛《かわい》らしい恋人がいた。吉祥寺の町中で美和子は何度か女性と仲良く歩いている健哉を目撃している。

健哉が誰と交際をしているのか、回覧板のように情報は回ってきた。誰もが認める好青年の健哉は、この地域のスターだった。健哉の恋人はみんな美和子の知り合いだった。美和子が大学に通っていたあいだ、健哉が付き合っていたのは美和子の高校のときの親友であった。

私は一応相手の素性を調べておく必要があった。恋文の鉄則にのっとって。

彼が経営する輸入車販売会社は、井ノ頭通りを一筋公園側に入った場所にある、ガレージを改造したような小さなもので、店の中には小型車が二台飾られているだけ。建物の裏にちょっとした空間があり、そこには廃車寸前の車がほかに三、四台放置されていた。手を加えて売ろうというのだろうか。

店を覗《のぞ》くとひょろっとした青年が笑顔で私を出迎えた。私は、車を見に来た、と嘘《うそ》をついた。なかなかの好青年、もてるのが分かる。

「どういう車をお探しで」

健哉が名刺を私に手渡しながら言った。

「あきないのがいいし、でも壊れないのがいいな」

言うと、健哉は微笑《ほほえ》んだ。

「デザインは？」

「重要じゃない」

「スピードが出る方がいいですか？」

「いや、安全運転に適したものがいいな」

彼は微笑んだ。お祈りをするように手を合わせ、指先を唇に軽く押しつけた。眉間《みけん》に皺《しわ》を寄せ、数秒考えた。それからぱっと明るい顔をして、

「じゃあ、アウディとかどうですか」

と言った。

「ドイツ車か。悪くないね。でも、値段はどう？」

「ちょっと高めですけど、長持ちするから、長い目で見たら得だと思いますよ」

青年はまた優しく微笑んでみせる。

「うちは並行輸入の専門店だからここに車はありません。もしも、注文するとなるとものを探して、船便で送ってもらったり、なんだかんだで数カ月は掛かりますが、待てます？」

「正規で買うのとどのくらい違うの？」

彼は肩を竦《すく》め、ちょっとだけ安くなりますよ、と言った。

「ちょっとか。それに、時間が掛かりすぎるな。しかも値引きがあまりないというのじゃ、売れないでしょ」

はっきりと言ってみた。彼は満面に笑みを浮かべ、後頭部を掻《か》いた。

「そういう心配をお客さんにされたのははじめてだな」

あっけらかんとした軽快な笑い声が響き渡る。悪い印象は一切受けなかった。

「このルノーとかどうですか？　フランス車だけど、ぼくは好きなんです」

「壊れない？」

「こいつは大丈夫。ぼくが保証します。それにこいつ。プジョーもいい。小型だけど、しっかりしていますよ」

「フランスの車が好きなの？」

「まあ、ものによります。なんでもものによる。いいものはいい。悪いものは悪い。それにここだけの話ですが、車はガソリンで動くのじゃなくて、気合で動くんです」

「気合で？」

「そう、エンジンをかける前に、走れ、と唱えると、よく走りますよ」

そう言って笑った。私も付き合って笑った。多分、冗談なのだろう、と思う。

青年はコーヒーを淹《い》れてくれた。本格的なエスプレッソの機械があった。レオナルドのコーヒーよりも美味《おい》しい。レジスターはアンティックもの。壁にはプジョー社製の自転車が飾られていた。なるほど、なんとなくこの男のこだわりが分かってきたぞ。

「趣味が合いそうだな」

私は言った。青年は、よかった、また寄ってください。お客さんが喜んでくれるような車をいつか探してみせます、と付け足した。彼は手作りのパンフレットを、まるでバトンを手渡すように差し出した。

「月に何台売れるの？」

パンフレットを受け取った。

「月に？　年にじゃなくて？」

彼の微笑みが途切れることはなかった。店を出るとき、私はくるりと振り返り、付かぬことを聞きますけどね、と切り出した。

「女性を車に譬《たと》えると、どういうタイプが好み？」

すると健哉は不意に微笑むのをやめて、難しい質問だな、とこぼした。それから、

「高級車なんかじゃなくて、ただ素敵《すてき》な車」

と言い添えた。その瞬間、私は書き方を決めた。

彼は確かに、恋人を探している、と言った。つまり今はいない、ということだ。これは大きな収穫。

そしてこの男に対して変化球で勝負するのはやめよう、と思った。さりげなく、でも実直に、気持ちを伝える手紙がいい。健哉の隣で微笑んでいる新道美和子をこっそりと想像してみた。うん、なかなかいいぞ。私は思わず微笑んでいた。

たとえば自分が貰《もら》ってうれしい、そんなラブレターを書いてみよう。そして今回は、美和子本人に清書をさせよう。自分の言葉に直してもらった方がいいだろう。私は恋文の下書きに徹する。今回はその方がいい。

第一、真似《まね》したくとも彼女の字を真似るのは不可能に近い。健哉への思いを訥々《とつとつ》と語った美和子の震える声を思い出した。そして美和子の書く字は震える声に負けないほどに震えていた。真似ることのできない字というものもある。

『高橋健哉さま

小さな道をわずか一本隔《へだ》てたところで暮らしているのに、こうやって手紙で自分の気持ちを伝えるというのはちょっと不思議な感じ。でも、その一本の道が私にはいつも大きな川のように私の人生の行く手を塞《ふさ》いでいて、今日までついぞ、渡りきることができずにきています。何をこんなに恐れて、何をこんなに躊躇《ためら》って、何をこんなに恥じらって生きてきたのだろう。歩いてわずか十歩の距離を越えるのに二十三年も掛かっちゃった。だから呼び鈴は押さず、思いに切手を貼ってポストに投函《とうかん》することにします。

目の前で暮らしているというのに、生活のリズムが違うせいね、会わないときはずっと会わなかった。時々、家の前でばったり顔を合わせると、偶然見知らぬ町で再会したような驚きがあった。

私はずっと川の向こうを見つめて成長してきた。子供の頃、私たちは家族のようにお互いの家をよく行き来していたのに。でもあるときから不意にそれができなくなる。川の水嵩《みずかさ》が増し、流れが速くなったせいで。きっと思春期という雨期に入ったからでしょうね。

中学のときはケニヤの登校する時間に合わせて家を出るようにしていた。だから私は玄関の戸を開けたまま、正面にあなたの家の玄関を見つめ、できる限りゆっくりと靴を履いたものでした。三十分も靴紐《くつひも》を結ぶふりをしていたので、母に怪《あや》しまれた。高校三年の秋は二階にあるケニヤの部屋の灯《あか》りを眺めて受験勉強をした。あなたの影が、薄いカーテンの向こう側で揺れるたび、勉強は中断した。大学に入った頃、屋根の上で昼寝をするケニヤをよく目撃した。木漏《こも》れ日の中、高木の緑の下で口笛を吹いているあなたが眩《まぶ》しかった。

すぐそこにいるのに、あなたは異国にいる人のように遠かった。ケニヤのせいじゃなくて、私のせいだってことは分かっている。私に勇気があれば、あるいはもっと機転がきけば、普通にあなたと向かい合えたし、普通に話すことができたはず。だってわずか十歩の道幅しかないのだから。

でも、思いばかりがつのって、いつの頃からか、あなたは手の届かない神話の人となってしまった。必死に目を凝《こ》らし、一生懸命探さなければ、拝むことのできない遥か彼方《かなた》の星になってしまった。

私の初キスは生後四カ月の春の日、一月《ひとつき》早く生まれたケニヤと。パパに抱っこされた私と同じようにお父様に抱っこされたあなたが、親の気まぐれによって、道の真ん中で強引にキスの真似事《まねごと》をさせられたの。そのときの写真が残っていて、中学のとき、あなたに一度見せようと思って、家の前でずっと帰りを待っていたことがある。でも結局、見せることはできなかった。走って戻ってきたケニヤは門の前で動けなくなっている私に向かって手を振っただけ。言葉を交わすタイミングなんてものはなかった。泣いちゃ駄目だって自分に言い聞かせるんだけど涙が出て仕方なかった。この二十三年間、思い返せばこんなことの繰り返し。

社会に出てからも、私はあなたへの思いを持ちつづけたけど、同時に、もう夢を見るのはやめよう、と思うようにもなった。時間という時間は。長すぎたのね、二十三年間という時間は。ここにもう一つの川がある。時間という大河。ああ、なんて残酷《ざんこく》な川幅でしょう。

ケニヤにはいつも可愛いガールフレンドがいたし、その中には女子校時代の美人で有名な同級生もいて、あの子には敵《かな》わないなって、いつも鏡を見ながら自分に言い聞かせてもいた。

そういえば最近、結婚を申し込まれました。よくしてもらっている会社の先輩に。

随分《ずいぶん》と迷った。私なんかにはもったいない人だった。でもね、どうしても、どうしてもケニヤのことを諦めきれなかった。運命を信じてみたい、と思うようになっていた。

運命というものは多分、信じた人のものになるのだと思う。だから、もう少しだけ、私は信じてみようと思います。

先輩に交際をお断りした日、私はあなたに自分の気持ちをはじめて打ち明けてみよう、と思いたつ。この二十三年間持ちつづけた気持ちを今こそ形にしなければって……。

どうか神話の世界の人よ。この大地に下りてきてください。そしてこの川を再び穏やかな優しい川へと戻してください。私がいつでも気軽にあなたのもとへ渡って行くことができるような、太陽の光の照り返す小川に戻してください。

新道美和子』

第八章　『八十八歳のわたしより』

代筆した手紙は依頼人に手渡す前に必ず何度か音読《おんどく》するよう心掛けている。ミーシャはその聞き役になることが多い。読み終わるたびにミーシャに、どうだ、と尋ねる。するとミーシャは、みゃあ、と鳴く。妙、とも聞こえるし、まあ、ともとれる。

それにしても様々な依頼があった。手紙の書き方文例集のようなものを求めてくる依頼人も少なくはなかった。堅苦しい手紙になりますよ。心が伝わりにくい手紙になりますが、それでも構いませんか、と説得しても、いや、結構、むしろ無難《ぶなん》なものがいいのです、という人が多かった。

そういう人には、『益々《ますます》ご清祥《せいしょう》の段』なんて古風な書き出しをあえて使ってやると、たいそう喜ばれた。そういうのが失礼に当たらない手紙だという固定観念を持っている人々も少なくなかった。

私は仕事なので、求められれば従わざるを得ない。堅苦しいな、と思いながらも、時にはそういう手紙を量産した。もちろん、ミーシャの受けはイマイチ。猫にだって分かるくらい、これらの手紙は形一辺倒であったに違いない。

そういう堅苦しい手紙の代筆依頼とは別に、驚くほど風変わりな依頼もあった。たとえば、外国旅行に出掛ける女性が、自分に代わって自分が見た外国の素晴らしさを日本にいる友人らに伝えてほしいというもの、など。依頼人に何度も、おっしゃっている意味が分からないのですが、と聞き返したほど奇妙な依頼であった。依頼人は、私が代筆した葉書《はがき》を持って外国に出掛け、日本に向けて投函《とうかん》する。つまり依頼人が出国する前に私はその人が見ただろう、いや見るだろう世界を想像し、葉書を書くのである。行ったことのないスペインについて、私は三十枚もの葉書を代筆した経験がある。

それにしても私のところにやって来る人たちはみんな疲れきっていたし、悩んでいたし、今にも死にそうな顔をしている人がほとんどであった。そうなると私は代筆屋というよりも、まるで人生相談員のよう。私に依頼の内容を説明しながら、怒り出す人や、泣き出す人はざらであった。

ある日、米寿《べいじゅ》を迎えたばかりだ、という老婆《ろうば》が私を訪ねてきた。彼女は『別れのための手紙』を書いてほしい、と言った。誰と別れるための手紙でしょうか、と質問をすると、夫ですよ、と投げやりな言葉が戻ってきた。

「ご主人さまはおいくつで」

聞き返すと、

「九十歳になったばかり」

と老婆は言った。

「何も、そこまで一緒に生きてきたのだから別れることもないのでは」

私はできる限り優しい声音《こわね》で、老婆の顔を覗《のぞ》き込み、説得した。すると老婆は鼻で笑い、もう我慢ができないんだ。もう一日たりとも一緒にいることはできない、と強い口調で言いきった。カウンターの中のマスターが振り返った。私は肩を竦《すく》めてみせた。

「六十五年も私はあの人の我が儘《まま》に付き合ってきたんです。これ以上あの人のために人生を無駄遣いすることはできません。人間としてそれくらいの自由、認められてもいいでしょ？　それともあなたは八十八歳の老人には自由などなくとも構わない、とおっしゃるおつもり？」

私は、いいえ、そんなつもりはありません、と戻した。

「私は六十五年もあの人のために生きた。でも、あの人は私のためには生きてはくれなかった。なんでもかんでも私に頼って、私がいないと何もできないくせに、私をまるで奴隷《どれい》のように扱って、偉そうにして、傲慢《ごうまん》で、人を人とも思わないで、そんな人にこれ以上奉仕する気はないんです。だから、そのことをびしっと伝える一筆をお願いしたいと思ってやって来たの」

私は老婆の迫力に圧倒され、思わず頷《うなず》いてしまった。

「そんなにひどいご主人なのに、どうして六十五年もの長きにわたって耐えることができたのでしょう。失礼な言い方かもしれませんが、あなたのそのお怒りはまるで結婚十年目くらいの主婦が、我慢に我慢を重ねてようやく気がついて表した怒りのように見えます。六十五年も主婦をやっていた人の怒りには見えないのです。なぜ急に別れたいという気持ちが湧《わ》き起こってきたのでしょうか？」

「最近思い出したことがあるのよ」

老婆は年齢を感じさせないはっきりとした口調で言った。肌の色艶《いろつや》も悪くない。背中だってそれほど曲がっていないし、着ている服にも若々しい色が使われていた。

「結婚してまもない頃、私は夫に侮辱されたことがありました」

なるほど、と私は戻した。

「あの人は私がろくに料理ができないことを、お嬢《じょう》さんだから、と笑ったの」

老婆は同意を求めるような強い視線で私を睨《にら》んでいた。私は老婆の次の一言を待ったが、返事は戻ってこなかった。

「それで？　それが理由で、今頃になって別れるというわけじゃないでしょ？」

先生、と老婆は口を尖《とが》らせた。

「それ以上の理由がほかに必要ですか？」

「お嬢さんだから、と言うのは確かに侮辱だけれど、六十年以上前のことでしょ、それを今頃になって離婚、というのは私にはもう一つ納得ができません」

老婆は目を見開き、私を睨んだ。

「私が六十五年間耐え忍んであの人に尽くしてきたことを、先生は評価してはくれないの？」

「まさか、そんなことはありません。きっと想像を絶する苦労があったのだとは思う。でも、それが私には届かない。代筆をする以上は、私が、なるほどそんなにひどい仕打ちをよくぞ今日まで我慢してこられました、と同意できるような、何か強い理由がなければなりません。納得がいく動機がなければあなたを擁護《ようご》して代筆をすることはできません。若い頃に、からかわれたとしても、あなたは実際六十五年間も妻をやってこられたわけで、その六十五年間というものにはかなりの重みがあるはずです」

あの人は、と老婆は目をつむり、話しはじめた。

「浮気をしたことがあります」

私は身構え、頷いた。

「満州事変《まんしゆうじへん》が起こる直前のことですが、一度だけ、吉原《よしわら》の遊廓《ゆうかく》で遊んで帰って来ました。どこへ行ったのか、と問い詰めると、白状しました。私は泣きましたよ。でも、離婚はしなかった。軍人だった夫は危険な戦地を転々としており、とても文句は言えなかった。でも、六十五年も経《た》つと考え方も変わってきます。戦地に赴《おもむ》く前に、なんでほかの女性とそんなことをしなければならないのですか？　もしかすると死んでしまうかもしれないのに、なのに、そんな大事なときに違う女性と抱き合ったりできるものでしょうか」

私は嘆息《たんそく》をもらし、それはひどい、と同意した。

「そのことをご主人に問い詰めたことはあるのですか?」

「夫が白状したときも、その後も、私は問い詰めたりはしなかった。人は意外に行動を起こせないものなのです。先生は男だから私の言っていることが分からないのかもしれませんが、そういう場合、女は、自分に魅力がないのがいけないのか、と考えてしまう。それをまた女という生き物は引きずったりするものなんです。時が経つと次第に出来事の意味を理解できるようになります。段々、分かってくる。三十年ほど前にも私はそのことで離婚を考えました。四十年ほど前にもあった。でも、結局思い止《とど》まった。先生が言うように、ここまで我慢したのだから、許そう、と思った。ところが六十五年も経つとね、また変わるの。この人の傲慢な考え方、偏見のある考え方に無性《むしょう》に腹が立ってくるわけです。もはや、どうしようもありません。我慢していた月日への反動と言えるもののせいで」

老婆はハンカチを取り出して、目尻《めじり》に溜《た》まった涙を拭いた。

「なんとなく分かる気がしますが、いや、でも、なんとなく分からない。やはり半世紀以上前のことでしょ。それに、未地の大陸へ赴く直前の、不安な時期のことだ。ご主人も友人らに誘われて断りきれなかったのかもしれません。いろいろなことが不安だったのかもしれない。いや、それでもしてはいけないことだと思います。私だったら絶対にそのようなことはしないでしょう。でも、その時代のその雰囲気の中にいないと、断定はできない。あるいは、そうせざるを得ない何かがあったかもしれないじゃないですか？」

「まあ、そうですけど」

　と老婆は吐き捨てた。

「ご主人はあなたに優しくはないのですか？　たとえば暴力を振るうとか。酒癖が悪いとか。あなたが離婚を考えるほどの何か重大な問題がほかにあるとか……」

「夫は優しい人です。でもその優しさは表向きのもの。外面《そとづら》がとてもいいんです。みんなの前ではジェントルマンなのね。だから、ご近所の人には羨《うらや》ましがられます。でも、家の中では全然違う人なんですよ。優しいけど、あまり話したがらない。いつも黙ってテレビを見ている。本当に面白《おもしろ》みにかける人間なんです。私があの侮辱から立ち直って、必死で料理を覚えても、彼は一度も美味《お》しいと言ってくれたことがありません。でも自分で言うのもなんだけど、美味しくないことはないのよ。私は二十代の後半に料理学校に通い、それもちょっと名の知れた日本料理の先生のもとで修業をしました。三十五歳から四十五歳までの十年間、西荻窪《にしおぎくぼ》で小料理屋をやってました。客はひっきりなし、みんな口々に美味しい美味しい、と言ってくれた。なのに、あの人は一度として美味しいと言ってくれたことはありません。たった一度も美味しいと言ってくれたことがないの。それっておかしくない？　別れたいと思う動機としては十分でしょ」

老婆は怒りで目がつり上がっていた。私は返答のしようがなく、困り果てていた。同時に、どうやってこの話を断ろうか、と悩んでいた。

「でも、それにしても、六十五年という時間をともに生きてきたわけでしょ。こんなことは言うべきかどうか迷うところですが、ご主人はすでに九十歳。残り時間は限られています。未来が有り余っているとは言いにくい。ここまで頑張ったのだから、この際、誰も達成することのできなかった愛の記録なんてものを打ち立ててですね、お二人だけが分かち合うことのできる幸福を手にしてみたらいかがでしょう。その瞬間、怒りは別のものへと変化するかもしれません」

　老婆は鼻で笑った。

「残り時間が短いからこそ、一刻の猶予《ゆうよ》もないのよ、先生。それに、先が短いのは私も一緒。あの人の傲慢がこの先直るとは思えないし。なのにこの貴重な時間は刻々と失われている、私は今すぐ人生をやり直したいの。八十八歳を迎えてしまったけど、私にはまだ時間はあるし、人生は最後まで分からない。今まで迷ってきた分、もう迷いたくないのね。自分の人生を取り戻してみたい。先生、それは悪いことかしらね？」

　私がどうしても分からないのは、これほどの迫力がありながら、なぜこの人は今まで行動を起こさなかったのか、という一点であった。なぜ八十八歳になった今、離婚をしなければならないのか、がやはりどうしても分からなかった。

「今から一人になるのは寂しくはありませんか？」

　老婆は顎《あご》を引き、私を三白眼《さんぱくがん》でじっと見つめた。

「ご主人も寂しいのじゃないですか？　九十歳で妻に捨てられるのですから」

　老婆は私を睨んだ。

「そう考えると、別れない方がいいように思うのですけど」

「私に一生を台無しにしろと言うのね」

「いいえ、そんなつもりはありません。我慢しろとも言いません。ただ、今更、離婚とか結婚とかそういう問題でもないように思うだけです。お二人ともあと十年ほどで一世紀を生きることになる。そんなに生きた人がそのくらいのことでいがみ合うのもなんか子供っぽいような気が」

「八十八歳の人間に向かって、子供っぽいとはあなた失礼よ」

私は思わず、ごめんなさい、と謝ってしまった。

「でも、それくらい、理解しにくいお話なのです」

「私の立場に立って考えてみれば分かることですよ」

私は苦笑いを浮かべてみせた。ここは何か知恵を絞る必要がある。

「冷静になれば、時間があろうがなかろうが、失礼、変な意味ではないのですが、時間に関係なく、人にはその人なりの一生があります。そう考えれば、八十八歳と九十歳の夫婦が結婚六十五年目に離婚をするということも理解はできます。いや、確かにそうだ。そういうことだってありえますすね」

私は作戦を変更することにした。

「分かりました。書いてみましょう」

老婆はしばらく私の顔を覗き込んでいたが、それから不意にこくりと頷いた。私は、やれやれ、と心の中で呟《つぶや》く。

「では、この六十五年間の思い出を今から全部私に語ってください」

老婆の眉間《みけん》に皺《しわ》が集まった。

「六十五年間の？」

「そりゃあそうですよ。六十五年間のあなたの記憶を私がすべて理解しなければ、とてもじゃないが手紙を書くことなんかできやしません。今聞いた話だけでは不可能です。なぜなら、そこには六十五年の歴史があるからです。適当に書いたら、代筆を見抜かれてしまう。あなたの気持ちをご主人にきちんと伝え、それを受け止めてもらうためには、まず私がこの六十五年間の歴史を吟味《ぎんみ》する必要があります。その中から、正当な理由を見つけ出し、ご主人ももちろんあなたも納得できるような手紙を書かなければなりません。それが誠意というものでしょう。分かりますか？」

老婆は頷いた。そしてちょっと迷った後、彼女は話しはじめた。

出会った日のことから、今日までのことを、子供の出産や、初孫の誕生、銀婚式、その他、数えきれないほどの思い出、彼女の中に眠っている様々な記憶を語り出した。仲むつまじい時期の記憶の方が圧倒的に多かった。私はその都度、素敵なエピソードですね、と相槌《あいづち》を打った。老婆は途端に話題を変えたが、実際には、悲しい記憶よりも、楽しい、素晴らしい、幸福な記憶の方が多かった。

かいつまんで話しても聞き取りに一週間掛かった。六十五年にも及ぶ夫婦の記録なのだから仕方がない。老婆は毎日、昼過ぎにレオナルドにやって来て、思い出を語った。買い物の時間が迫ると、じゃあ、このつづきは明日、と言って帰っていった。

そして一週間後、米寿の祝い話が終わると、老婆は黙った。俯《うつむ》いて、何かを考えていた。長い沈黙。老婆は大事なことをほとんどすべて忘れていた。いや、忘れかけていた昔の記憶を全部思い出してしまったのだ。そのせいで老婆は少し困惑していた。

「どうかされましたか?」

作戦が功を奏していることを私は悟《さと》った。

「いいや、なんでもない」

と老婆は言った。

「では、手紙を書いてみます。成功報酬でお願いします」

老婆がつり上げられた魚のような顔をして私を見た。

「成功報酬？」

「ええ、もしも離婚が成立できなければ、お金はいりません」

老婆は何か言いかけたが、それをのみ込み、席を立った。そして小さく頭を下げて、戻っていった。

約束の日、老婆は再びやって来た。そして私の前に座った。私は封筒を老婆の前に差し出した。老婆はじっとそれを覗き込んでいた。手を伸ばそうとはしなかった。ただじっと封筒に書かれている夫の名前を見つめていた。生まれてはじめて離婚届を見るような、驚きと困惑の表情を浮かべながら。

「どうされましたか？」

老婆は慌てて首を振ったが、両手は膝《ひざ》の上に置かれたままである。

「あの」

老婆は言った。私は黙っていた。

「あれから、いろいろと考えて、その、この手紙ですが、夫に送るのをやめようかと思いはじめています」

なるほど、と私は穏やかに頷いてみせた。

「先生さんにあの人のことを全部話してしまったら、すっきりとした」

黙って老婆の話に耳を傾けることにした。

「なんて言うのでしょう。それに、気持ちが変わりました。ちょっと忘れていたことがあったみたい。いろいろと考えてみると、最初に先生さんがおっしゃったとおり、この六十五年間は無駄ではなかったということでしょうね。ごめんなさい。せっかく書いていただいたのですが、これを夫に送りつけることはできません」

私はもう一度頷いた。

「そうだと思って、違うものを用意してあります」

「違うもの？」

「ええ、どうぞご覧になってください」

老婆は私をじっと見つめた後、封筒に手を伸ばした。そして中から白い便箋《びんせん》を取り出し、開いた。老婆の視線が便箋の上に降り注《そそ》ぐ。まもなく眼球の縁《ふち》に輝く光の玉が生まれ、それはきらきらと内側から輝き出した。

『九十歳のあなたへ

いいことも悪いことも、全部ひっくるめての六十五年間、あなたもわたしもよく生きました。あなたはわたしと暮らしたこの六十五年間をどのように感じているでしょう？　光陰《こういん》矢のごとし、とは言いますが一度に振り返ることができないくらい長きにわたってわたしたちは暮らしてしまいましたね。

わたしはあなたに言いたい「ありがとう」と「ばかやろう」がたくさんあります。でもその感謝と文句を秤《はかり》に掛けたら、ちょうどいい具合に釣り合いがとれているということに最近気がつきました。

あなたはどうでしょう。あなたが感謝をするとは思えませんが、でもこんなに長く生きてきたのですから、きっとわたしに対してなにがしかの感想は持っていることでしょう。同時に、こんなに長く一緒にいるせいで、言っても無駄だと悟《さと》ってしまっていることも多々あることでしょう。わたしたちは、いわゆる「つうかあの仲」とも違う、「空気のような存在」でもない。つうと言うこともなければ、かあと答えることもないまま、六十五年間も二人は一緒に暮らしてきてしまいました。まるで鍾乳洞《しょうにゅうどう》の天井から垂れ下がる大きな鍾乳石《しょうにゅうせき》のような二人。よくここまで成長したものです。でも、わたしは不意に、抵抗をこころみたくなった。超越したり、悟ったまま、死にたくなかったのです。これでいいのか、とわたしは悩みました。そして人生を振り返ってしまいます。わたしは人生を後悔したくなかった。だから、確かめたかった。八十八歳にもなって、言葉にしないと理解できないだなんて、これは大変なことです。でもわたしは言葉であなたとつながりたかった。きっとあなたは取り合ってもくれないのだろうけど、それでもわたしは抵抗をしたかった。なぜなら、それがわたしという人間の存在理由だからですよ。なぜ、あなたがそんなに見えづらく、分かりにくいのか、その理由を知りたかったのです。自分の人生において、まだこのような若々しい問い掛けが残っていただなんて、この年齢になるまで気がつかなかった。でもあなたに対しての怒りは確かに存在していました。これは、つまり、裏返せば愛情なのです。

怒りが愛情だと私に気づかせてくれたのは記憶です。そして時間です。歴史ということもできるでしょう。そしてあなたです。

あなたはまるで丘の上に聳《そび》える一本の木のように見えます。わたしはあなたを倒そうとこころみている風でした。この戦いは普遍的な物語を生みます。でも、結論は木の勝利でした。なぜなら木はそれほど深く大地に根を張っていたし、それほど柔軟に揺れてみせたからです。

わたしが吹くのをやめると、あなたは揺れずにすっくと立ちあがります。本来のわたしたちの姿がそこにあります。あなたが激しく揺れていたのは、わたしが激しく吹いていたからです。わたしが強風を起こさなければ、当然あなたは揺れることもなかった。

わたしは怒るたびにあなたを揺さぶり、その葉をすべて振り落としてやりました。けれどもあなたは人生が季節のように移り変わるたび、またすぐに新しい若葉の芽を吹かせてみせるのです。

勝利とか敗北というものは二人のあいだにはありません。嘘《うそ》くさい感謝や、その場限りの賞賛は必要ありませんね。確かにあなたの言うとおりでした。そこにあなたが聳えていることこそがわたしには大事なことだったのです。それを六十五年もの歳月をかけて気づかせてくれたのは、やはりあなただった。いいえ、六十五年間という歳月があったからこそ、わたしはようやく気がつくことができたのかもしれません。
もう少し、わたしはあなたを揺らしつづけたい。わたしはそよぐ風です。優しくそよぐ風でいたいと思います。あなたが今年もたくさんの若葉を芽吹かせるのを、楽しみにしながら。

八十八歳のわたしより』

第九章　『心境』

『何一つ話すことはなかった。あの時点では話すべきことはなかったのよ。でも、今は違う。今はこうちゃんに話したいことがたくさんあるし、話すべきことが自分の中からどんどん溢《あふ》れ出ようとしている。

あの日ね、バイト先を出た後、どうにかなっちゃって、気がついたら新宿《しんじゆく》行きの電車に乗っていた。雪が降った日だったよね。それに終電に近い時間だった。高円寺《こうえんじ》を過ぎた頃に、一度だけ、こうちゃん怒るだろうなって思ったけど、でも、なんでかな、引き返すことはなかった。ちょっとだけ、朝、家を出たときのことを思い出した。こうちゃんが笑顔で私を送り出してくれたときのことを。あのいつもの優しい笑み。いってらっしゃい、迷子になっちゃ駄目だよ、とこうちゃんは言った。

新宿駅に着いたときはすでに十二時を回っていた。深夜営業のレストランが明治通り沿いにあって、とりあえずそこに入った。どうかしているんだわって自分に言い聞かせてみるのだけれど、もう手に負えない状態。友達のところに片っ端から電話を掛けまくった後、不意に現実が打ち寄せてきて途方に暮れた。なんでだろうね、その夜に限って誰一人つかまらなかった。仕方がないから、席に戻って朝を待つことにした。

いろんな人たちに声を掛けられたけど、誰にもついてはいかなかった。私はただ腕組みをして、ひたすら朝を待ったの。ここにいたら駄目になるって、自分に言い聞かせながら。

最初に言っておかなければならないことはね、こうちゃんのこと嫌いになったわけではないの。こうちゃんと結婚するのがいやになったとか、そんな単純な理由じゃなかった。ただ、約束が多かったでしょ。いろんな約束。そっちは覚えていないかもしれないけど、結婚だけじゃなくて、愛についてとか、夜はまっすぐ帰って来いとか、ほかの人を好きになるな、とか、ビールを呑《の》むときは見つめ合って呑む、とか、週に一度は外食をしよう、とかね、いろんな約束。守る自信はあるんだけど、そのことをいちいち思い出すのが嫌《いや》だった。ああ、でもそんなのが理由ではないのよ。ちょっと自分に距離を置いてみたくなったというのかな、いいえそうじゃない。うまく言えないけど、そういうふうに言葉にしないと説明できないようなものじゃなくて、決して言葉では説明できない理由で、説明するとなんだか自分自身ががっかりしてしまいそうな、つまりね、なんだそんな理由であんたは家出をしたのかって責められてしまうようなささいなこと。だからきっと確かめたかった。何かを。この気持ちっていったいなんだろう、と思いながら電車に揺られてた。

最初の一月《ひとつき》はね、こうちゃんは怒るだろうけど、昔の男友達の家にいた。誤解しないでね。その人とは肉体関係はありません。でも、それ以上のつながりはある。不思議なのは、私はたくさんの友達がいて、そのほとんどをこうちゃんに紹介したのに、ジュリアのことは内緒にした。ジュリアは本名斉藤正志《さいとうまさし》。すごくなよっとした人だから、正志という名前が嫌いで、ジュリアと自ら名乗っている変な奴。体は男だけど、心は女。どうして彼のことをこうちゃんに内緒にしたのかは、分からない。でも、ジュリアが昔、昔というのは私とこうちゃんが付き合いだしてまもなくの頃だけど、あんたたちは長くつづかないよって予言をした。だからかな、きっとそのせいで、こうちゃんに紹介しなかったのね。でも、よく考えてみると、こうちゃんに紹介しなかった男友達ってほかに数名いる。紹介するには、やっぱりどこか後ろめたい何かがあった。なんでこうちゃんに全部を見せなかったのか。今となっては分かるような気がする。

ジュリアには何でも話すことができた。ごめんね、身勝手な言い方で、でもジュリアはつねに部外者だし、性差の外側にいつもいる人だし、ちょっとサイキックだし、取り引きのない関係だから、だからなんでも話すことができた。だけど、それがすごくいいというわけじゃないことも分かっている。恋人や夫婦にはなることのできない相手でもある。確かに導く人だけれど、でも生涯をともに歩く同士って感じじゃないのよね。そういう意味ではこうちゃんの方が私にはずっと重要だった。重要って漢字はすごいね。よく自分のことを言い当ててる字じゃない。重たい要《かなめ》。こうちゃんは私にとっていつも重たい要だったよ。いい意味でも悪い意味でも。

でも、だからといって、私がぷっつんしたのがそのせいだってことはありません。そのせいで家に戻らなかったということじゃないの。あなたが重要だから、その重みに耐えられなくなった、ということじゃないんだ。その理由は本当に自分でも分からない。気がついたら、どんどん沖に向かってボートを漕《こ》いでいた。そんだけのことよ。

こうちゃんとは三年一緒に暮らした。その分だけ、約束が存在する。出会ったときはなんの取り決めもなかったのに、三年もするとすごいね。憲法ができるんじゃないかって思うほど二人のあいだにいろんな法律ができてさ、一つの国みたいになった。その延長線に、結婚があって、家族があるんだろうね。

ジュリアのとこにいた一月のあいだにも、私とジュリアのあいだにいくつも約束が生まれていた。たとえば、お風呂に先に入った人はかならず風呂桶を洗う、とか、早く起きた方が朝食を作る、とか、気がついた方がゴミを出す、とか。なんだか、かなり緩《ゆる》い約束事だったけど、それはそれでうざったかった。生きているんだからしょうがないね。入院していたって決まり事はあるし、死なない限り人間には約束がつきまとう。

ずっとジュリアの家でごろごろしていたんだけど、一月が経《た》つ頃に、あんた、いい加減にしなさいよって、彼に叱《しか》られた。でね、都心にあるクラブで働くことになる。そこの規則はもっと細かくて、一晩でいやになっちゃった。お客さんに脚を触られて喧嘩《けんか》になって、そのまま飛び出しちゃった。ママさんに、ジュリアに言いつけてやるからねって怒鳴《どな》られたんで、ジュリアのところに戻るのが怖くなって、サウナで夜を明かした。

沖縄に行くことになる動機はね、たまたまサウナの娯楽室で沖縄を舞台にした映画をやっていたから。映画はつまらないものだったけど、景色は最高だった。こういう世界があるんだなって、心をくすぐられた。片道分の飛行機代くらいしか持ってなかったけど、なんとかなるんじゃないかなって思って、起きたらその足で空港へ。

でも那覇《なは》は都会で、暑くて、求めていたものは何もなかった。国際通りっていう賑《にぎ》やかな通りを行ったり来たりして、一時間もしないうちにウンザリしてしまうの。夜になって、もう行くところもお金も底を突いて、どうしていいのか分からないから、歩道にへたり込んでいたら、地元の男の子に声を掛けられた。見た感じは遊んでいるふう。でも、笑顔に嘘《うそ》がなかったから、すぐに打ち解けちゃった。何しているのって言うから、お金もなくなっちゃったし知り合いもいないし、どうしていいのか分からないの、と素直に言ったら、じゃあ、うちにおいでよって。話はすぐにまとまった。

ほかに当てもなかったし、本当に途方に暮れていたから、ついていくことにした。その人のバイクにヘルメットもつけないでまたがって、どこに連れていかれるのか分からぬまま。こんな勇気が私にはあったんだって、ほんと、我ながら感心した。

バイクが那覇を離れる頃、なんだか急に涙が出てきて、それでそのとき、こうちゃんのことをようやく思い出して、吉祥寺《きちじょうじ》に戻りたくなった。国道をそれて、海沿いの道を走って、なんだかものすごく高い木に囲まれた集落に着くとバイクはようやく減速して、その子が、着いた、と叫んだ。

どこか知らない国とかに売り飛ばされるのかもしれない、なんて不意に現実的になって怖くなり、慌てて周囲を見回したけど、暗くてそこがどんなところなのか分からなかった。男の子の家には家族がいて、眠そうな顔で出てきた彼のお母さんという人は私のことを睨《にら》んだだけで何も言わなかった。追い返されることはなかったけれど、歓迎されているわけでもなさそうだった。私は泥棒猫のように、青年の後ろに隠れて、こそこそしていたよ。

離れの部屋に連れていかれて、ここで寝なよ、と言われた。名前を尋ねると彼は、ヒルマ、と名乗った。あとでそれが名字だってことに気がつくんだけど、最初は名前だと思っていた。ヒルマ君って、私は呼んだ。青年は屈託《くったく》なく微笑《ほほえ》んだ。

人の声で目が覚めて起きた。こうちゃんと揉《も》めている夢を見ていた。夢なのか現実なのか分からなくて、ぼんやりしていたら、ヒルマ君が顔を出した。昨夜《ゆうべ》は気がつかなかったけれど、部屋を出ると正面が海で、その青さに驚いた。ヒルマ君はやって来て、俺の恋人ってことにしてるけど、構わないよね、と言った。母親は、あんたいくつだ、となまりのある声で言った。二十三です、と答えた。母親は何も言わなかった。ヒルマ君には小さな弟と妹がいて、私は彼らと遊んだ。

　どうすんの、と食事の後、ヒルマ君は言った。どうしようか、と私が言うと、働く気とかあんの、と尋ねられた。うん、と言うと、じゃあ、ここで働けば、と彼は言った。ヒルマ君のうちは民宿を経営していた。お客さんの姿はあまり見なかったけど、夏とかは結構繁盛しているらしい。お母さんは無口だけど優しい人で小言は一度も言わなかった。私はお母さんが忙しくしているときに、ちびたちの面倒を見たり、お米を研《と》いだり、洗濯をしたり、掃除をしたり、そのうち少し慣れてきたら、宿泊客の布団なんかも敷いた。

　規則だらけで、大変だった。朝は早かったし、夜は夜で遅くまでいろいろとあった。でも、場所のせいかな、苦痛を感じたことはない。自分のペースで仕事はできたし、きつくなると海を見て休んだ。休んでいてもとくに文句は言われなかった。で、ご飯はとっても美味《おい》しくて、一日三食きちんと食べていた。

　ヒルマ君は那覇のサーフショップで働いているので、朝出掛けて、夜帰ってくる。

時々、朝出掛けて朝帰ってくることもあった。面白《おもしろ》い人で冗談ばかり言ってる。その勢いで時々、俺の嫁になれ、って言うものだから、本気か嘘か分からなかった。こっちも笑ってはぐらかすと、それでおしまい。最後の方はヒルマ君よりも彼のお母さんや兄妹と仲良くなって、まるで家族のようになって、このままここにいたら、きっとヒルマ君のお嫁さんになってしまうんだろうなって考えてしまった。

三カ月くらいが経った頃、不意に、これ以上ここにいると完全に居着いちゃうことになるのかな、と考えて心配になった。まあ、居着くのも悪くはないかって、一瞬迷ったけど、でもそのとき、頭の片隅にこうちゃんが現れた。暗闇《くらやみ》に差す光のような感じで。

こうちゃんが少しずつ私の中で自然になりはじめていた。変な言い方だけど、ほら、よくミュージシャンとかがさ、自然体を目指しています、なんてインタビューで答えるじゃない。あれ、意味がさっぱり分からなかった。でも、ようやくちょっとだけ分かったような気がする。自然体ってさ、その言葉だけを追いかけているうちは、全然自然からはほど遠いのね。自然体って目指すものじゃなくて、気がついたら実感できるもので、だから自然体を目指しているなんて口にするミュージシャンって、自信がないんだ、ってことも分かった。こういう人のレコードを買うのはやめなきゃ。沖縄で生きているうちに、こうちゃんのことを普通に考えることができるようになってきた。頭と心を冷やしたからかな。なんだろう、自然な感じ。今更だけど、やっと自分のペースでこうちゃんのことを考えることができるようになった。ただそれだけのことだよ。

お給料という名目でお金を貰《もら》った翌日、ヒルマ君が仕事に出掛けるのを待って、私は彼の家族にお別れを告げた。ヒルマ君には手紙を残した。本当にありがとう。またいつかふらりと遊びに来ますね、と。

弟と妹が泣いてくれたの。お母さんは、あなたたち結婚するんじゃなかったの、と言った。私は、ごめんなさい、と謝った。お母さんはまた無口になって、俯《うつむ》いてしまった。少し後ろ髪を引かれたけれど、私は迷わず出発した。

那覇から小さな飛行機に乗って日本最西端の島与那国《よなぐに》へと渡った。せっかくここまで来たのだから一番端の島を見てから東京に戻ろうと思った。島の西端、西崎《にしざき》というところの展望台から、うっすらと台湾《タイワン》が見えた。案内をしてくれたタクシーの運転手さんが指さした方角を見て、感動をした。台湾が見える。本当よ。知っていた？　日本から外国が見えるのよ。日本ってこんなに広かったんだって、はじめてその大きさに気がついた。

こうちゃんと会わなくなって四カ月以上が過ぎていた。三年間毎日一緒にいたので、こんなに会わないでいると、やっぱり奇妙な感じがする。こうちゃんに見せてあげたいなって思ったよ。

吉祥寺もここも同じ日本なんだって、考えると不思議で仕方がない。百キロくらい先に台湾がある。東京よりも台湾の方が断然近いんだから、面白いね、世界って。

その日は久部良《くぶら》という町にある民宿に泊まった。宿泊客らはみんな長期滞在の人たちばかりで夜は食堂が宴会場と化した。

女が一人で旅をしているものだから、いろいろと詮索《せんさく》されて、その夜はすっかり酒の肴《さかな》にされてしまった。宿泊客は私以外に二組だけだったけど、宿の人たちも一緒に呑むものだから、なんだかんだ十人くらいが狭い食堂を埋めて、大盛り上がり。私はひさしぶりに酔った。

でも、私には何も話すことがなくてさ、聞かれたことには答えることができるんだけど、自分から何かを伝える、発信する、あるいは積極的に語るということができないのね。人間が未熟だから、だね。自分に意見がないということをはじめて思い知らされた。こうちゃんといたとき、私はいったい何を話していたっけ？

二組の宿泊客の一方は結婚二十年目を迎えるご夫婦だった。もう一人の客は写真家で毎年ここに一人でやって来るとのことだった。そのカメラマン、宿の人たちとは家族のような付き合いをしていて、はじめてその人と会ったときも、彼はキッチンで料理をしていたのよ。昔はコックさんをしていたんだって。誰かがおなかがすいた、と言うと、その人は無言で厨房《ちゅうぼう》に入っていった。背が高くて、真っ黒で、ぼさぼさ頭。笑うと目尻《めじり》に大きな皺《しわ》が走った。

私はこの工藤《くどう》さん（仮名です、ごめんなさい）に気に入られて、一緒に西表島《いりおもてじま》に行くことになる。工藤さんは沖縄のことなら何でも知っている。沖縄に点在する島々を長年撮りつづけているんだって。

私は彼のモデルになる。モデルったって、景色の中に立っているだけで構わない、と言われて引き受けた。行く当てもなかったし、どうしたいというのもなかったから。

でもそれだけじゃない。ちょっと白状するとね、その人のこと、私も気に入っちゃったの。雰囲気とか、喋《しゃべ》り方とか、佇《たたず》まいとか、そんな曖昧《あいまい》なものをだけど。

工藤さんとはずっと同じ部屋で寝ることになる。でも、彼とはなんにもやましいことはなかった。何をもってしてやましいというのかは分からないけど、とにかく淫《みだ》らな関係は一度もなかった。彼は紳士で、布団と布団のあいだにカメラを置いて、このカメラに誓ってぼくはおかしな真似《まね》はしません、と言って毎日寝るの。だから私は安心して、があがあイビキをかいて寝てしまうの。どこかでこの工藤さんのことが好きになりかけていた。ごめんね、この三年間、私は一度も浮気をしたことはなかった。こうちゃんのことだけを好きだった。なのに、西表島を旅しているあいだ、私は違った。

マングローブが左右に生い茂るヒナイ川をカヌーで上った。アダンと呼ばれる樹木や幻想的なシダ類が生い茂るジャングルの中を歩いて、ピナイサーラの滝に着いたときには、シャツが濡《ぬ》れるほど汗をかいていた。彼が撮影をしているあいだ、私は大きな岩の上で寝転がって疲れを癒《いや》した。鳥の声、滝の音、風の音、自然の音たちが私の心を包み込んでいった。空気がめちゃくちゃ濃かった。一生懸命それを吸っては吐き出し、自分の中にあるどろどろの何かを吐き出そうとした。

濃密な空気の中に私は浮かんでいた。こんな経験をしたのははじめて、それはきっと工藤さんの力のせいだろう。この人は生まれながらの自然体なんだ、きっと。工藤さんと旅することで、私は私の中にある重みを減らすことができた。

西表島の東端、美原《みはら》の沖に周囲二・五キロの由布島《ゆぶじま》があり、干潮時《かんちょう》ここを水牛車《すいぎゅう》で渡るの。島と島のあいだの海を五百メートルほど、屋根のついた可愛《かわい》らしい水牛車で。十センチほどの浅瀬を水牛車が行く。なんとも長閑《のどか》。時間なんてものはそこにはない。那覇でも与那国でも感じることができなかった羽根の上に止まったような静かな瞬間の連続。船頭さんじゃないけど、水牛の綱をひく男の人が、地元の歌を歌ってくれた。

　本当は時間なんてものはないんだって、工藤さんが言った。時間は流れるって人は言うけど、流れているのは人間で、時間はいつもこうやって止まっているものなんだ、って。ぼくはその時間を、ただ水を掬《すく》うように写真機で捕《つか》まえているだけだって。話を聞きながら、私はどんどんどこかに落ちていった。この経験はなんだろうって考えた。吉祥寺のブティックで働いていたときには決して得られなかった経験。

　星砂《ほしずな》があることで知られる浜辺のキャンプ場で私たちは夏のあいだ過ごした。相変わらず、私と工藤さんのあいだにはカメラが置いてあった。でも、肉体関係がないからって、それがいったいなんなんでしょう。結婚したからってそれがなんなんでしょう。私は自分が何ものにも支配されることのない一個の人間であることに、今更ながらに気がつくことになる。

ある日、工藤さんに私はこうちゃんのことを話した。何も言わずに突然あなたの前から姿を消したことも。工藤さんは、頷《うなず》いて聞いてた。でも、ただそれだけ。説教はされなかった。じっと海を見て、太陽が沈むと、彼は歌を歌った。

その夜、工藤さんは自分のことを話した。大好きだった奥さんといつもこうやって一緒にキャンプをしながら沖縄各地を巡り、写真を撮っていたこと。写真を撮っているとき、いつも隣《となり》にはその人がいたんだって。とくに西表島にはたくさん思い出があるって。私を連れていってくれたピナイサーラの滝や由布島や星砂の浜辺なんかに、きっと工藤さんは彼女を何度も連れていったのね。

でもその人は事故で、急に亡くなられたんだそう。私がこうちゃんの前から不意に姿を消したように。その話を聞きながら、私はこうちゃんがどんなに私のことを心配したのか、ようやく気がついた。私は工藤さんに質問をしたの。寂しくはなかったかって。そしたら工藤さん、微笑みながら泣いた。男の人が、あんなに逞《たくま》しい人が、急に涙を流すものだから、私はとんでもないことを聞いてしまったんだって反省した。

その夜、私は工藤さんの手を握って眠りました。彼が泣きやむまでずっとその手を離さなかった。翌朝、私はこうちゃんに会いに行こうと決めるの。家に帰るのじゃなくて、会いに行こう、と思った。対等に向かい合って話をしてみたい。今の自分なら、何かについて一生懸命話すことができるんじゃないか、と思った。

工藤さんと別れて、私は東京に向かった。もう季節は秋になっていた。でも、羽田《はねだ》に着いたとき、私は不安で仕方がなかったの。こうちゃんが違う誰かと暮らしているのではないか。あるいは吉祥寺から引っ越してしまっているのではないか、と考えて。

吉祥寺駅で降りて、二人が暮らしていたアパートを目指した。あの日、家出をしたときと吉祥寺は何も変わってはいなかった。なのに、私には何かが違って見えていた。それが何かは分からない。同じ風景なのに、私には別の町にやって来たような、新鮮な何かを感じていたの。

通い慣れた道をアパートまで目指して戻っていった。公園のすぐ傍《そば》の住宅地の中に、私たちが暮らしていたアパートを見つけた。何も変化はなかった。表札で確認をした。よかった、こうちゃんはまだそこにいた。

そのとき、私の中に風が吹いた。このまま何もなかったような顔をしてこうちゃんと会っていいものだろうかってね。仮に、こうちゃんが私を待っていてくれたとしても、仕事から戻るような気軽さでドアをノックするのは気が引けた。そんなことを私は望んではいなかった。私はそういう理由で家を出たのではない。

私はその足で公園に近い不動産屋に出掛け、不動産屋のおじさんに部屋を探してもらった。ジュリアに電話をして、これまでのことをすべて話し、保証人になってもらった。ジュリアは電話を切る前に一言、馬鹿《ばか》、と言った。その日はジュリアの家に泊めてもらい、翌週から私は再び吉祥寺の人間に戻った。求人誌で見つけた居酒屋でアルバイトをし、仕事が終わるとこうちゃんの家を覗《のぞ》きに行く、毎日。

ある日、こうちゃんが会社に出掛けた後、私はひさしぶりに家の中に踏み入ってみる。鍵《かぎ》を使って、戸を開けた。どきどきしていた。まるで泥棒に入るような気分。家の中は何も変わってはいなかった。まるでタイムマシーンに乗って、あの日の朝に戻ったよう。

綺麗《きれい》に掃除されていた。散らかっていることを予想していたので、ちょっと驚いた。誰かが掃除に来るのだろうか、と想像した。二人で暮らしていたときの方が汚れていた。私は掃除をしなかったし、こうちゃんは文句ばかり言っていた。

床にはゴミ一つ落ちていなかった。キッチンも磨かれていた。ベッドだって、ベッドメーキングされたホテルのベッドのように整っていた。私は匂《にお》いを嗅いでみた。女の匂いとかを。でも、そういうものは発見できなかった。

クローゼットを開けた。昔のまま。半分がこうちゃんの服、半分が私の服。よかった、私の服がまだあった。記憶に色彩がついたような感じだった。自分の服を見つめた。いつも着ていた服を二つばかりクローゼットから拝借した。自分のものなのに、これまた盗み出すような感じで。

帰りがけ、ふと食卓に目を落とした。ティーポットの横に紙切れが置いてあった。「りさ、おかえり」と書かれてあった。思わず息をのんだ。こうちゃんは気がついていたのだろうか、と慌てて周囲を見回してしまった。いいえそうじゃない。紙切れはすっかり黄ばみ、時間の経過を物語っている。家出した直後に書かれたものらしい。

私は生ゴミが少しにおっていたので、それを外のゴミ置き場に捨ててから家路についた。その日は、胸が痛くて、何もない六畳間で一人、おいおい声を出して泣いてしまった。

こうちゃんは私の帰りを待っている。でも、まだ私は戻るわけにはいかなかった。私はまだ自分自身と話ができてない。きちんと話しておきたかった。あれやこれやについて。

ある日曜日、気持ちのいい午後、家の窓は開けっぱなしだった。こうちゃんが一人でご飯を食べていた。もぐもぐと米を噛《か》むこうちゃんの横顔を電信柱に身を潜めて覗いていた。こうちゃんが公園を散歩しているのを目撃したこともある。私はそうやって、こうちゃんを目撃しつづけることになる。なぜだろう。でもそうしているのが幸せだった。

こうちゃんはよくコンビニのお弁当をぶら下げて帰って来た。今日は何を食べるのだろうって想像しながらじっと見ていた。

目の前をこうちゃんが通って行ったことがあった。あやうく見つかりそうになった。見つかりたい、という衝動を必死で抑えた。こうちゃんは無表情のまま私のすぐ目の前を歩いて行った。こうちゃん、と呟《つぶや》きながら、私は見送った。

秋が終わり、冬が来た。私はまたこっそり家に忍び込み、クローゼットから冬物の服を数点、持ち出した。キッチンの生ゴミを捨てておいた。「りさ、おかえり」と書かれた紙切れを摑《つか》み、しばらくそれを眺めた。

　こうちゃんの家から歩いて数分のところにあるカフェ、知っている？　レオナルドという名前の変な喫茶店。昔一度だけ二人で入ったことがあるよね。一緒に暮らしていた頃は、二人とも避けていた。私たちは通りの反対側にある、明るい造りの店に入り浸っていた。そっちに行くとこうちゃんに会いそうだから、私はあえて、レオナルドを選んだ。

　相変わらず、薄暗い店内。客はみんな疲れきっている。でも、今の私はここで苦いコーヒーを飲むのが好き。苦いコーヒーを飲みながら、一癖も二癖もある常連客らの横顔を眺めるのが日課。

　井《い》の頭《かしら》公園で一人でボートに乗り、弁天様《べんてんさま》にお願いをして、池の辺《ほとり》のそば屋でおでんを食べて、レオナルドでコーヒーを飲む。ここのマスターにこうちゃんのことを相談した。とってもいい人で、少し工藤さんに似ている。真っ黒で、笑うと目尻に皺が走る。

　マスターの紹介でこうちゃんの家の近くのコンビニで働くことになり、居酒屋をやめる。いつもこうちゃんが仕事帰りに立ち寄ってお弁当を買う店だよ。でも私はこうちゃんが会社に行っているあいだだけ店に出ることにする。土日は休むことにした。だから近くで働いているというのにこうちゃんには会わないの。

お弁当を選んでいるこうちゃんの後ろ姿というものを想像してみる。こうちゃんの好きなハンバーグのお弁当が売り切れないように、いつも多めに注文をしてしまい、店長に叱られる。なんでこんなに注文をするんだって。若者はハンバーグが好きだからです、と答えておいたよ。

レジを打ちながら、時々、外を見る。公園に向かう人々で賑わうこの通りの中に、仲がよかったときの二人がいる。そう思うと、目頭がちょっとだけ熱くなる。家出をしてから一年以上が過ぎてしまった。

心には境があってね、人はみんなそこを出たり入ったり旅しているんだと思う。私は心の国境を何度も行き来して、旅をつづけている。心の境目って複雑で、いろんな地形をしている。私があの日、家に戻らないで旅に出たのは、ちょっと変わった地形の心境に踏み出してしまったから。

でも、その旅は大変なものだったけれど、私は私なりに成長することができた。家出をした理由はいまだに謎《なぞ》のままだけど、でもそれとはまったく違ったことにも気がつくことができた。自分にとって何が大事で、何が普通で、何が自然なのか、ということを。

ごめんね。そして、ありがとね。

もしも今でも、こうちゃんが私のことを待っていてくれるのなら、私はあなたがいつもお弁当を買うコンビニで平日の朝十時から夕方四時まで働いています。

くろがねりさ』

第十章　『雪のかまくら』

両親が田舎《いなか》から出てきた。私の故郷は本当に田舎も田舎、東京まで電車と飛行機を使っても、なんだかんだ移動にまる一日を費やさなければならないところにある。夜明けとともに出発した彼らが吉祥寺《きちじょうじ》駅に到着したのは夜で、初老の両親はすっかり疲れきっていた。

シティホテルに部屋を取った。狭い部屋に父は、息がつまる、と文句を言った。母は自殺防止のために五センチほどしか開かない窓を指さし、壊れてるよこれ、と指摘した。

東京のホテルはどこもこんなもんだ、と私は嘘《うそ》をついた。寝るだけだ、問題はない、と父が言った。母はユニットバスを覗《のぞ》いて、顔を顰《しか》めていた。

デラックスツインの部屋でも取ってやりたかったが、懐《ふところ》が寂しく、贅沢《ぜいたく》をさせてやれなかった。せめてうまいものでも食わせてやろうと考えて、レオナルドのマスターの紹介で会席《かいせき》料理を出す、近頃人気の料亭に連れていった。

　母はどこからか見合い写真を取り出し、私に見せた。気の強そうな女性に見えた。勘弁してよ、見合いなんかやだよ、と呟《つぶや》いた。父は写真を覗き込み、もったいない、よりごのみができる立場かよ、と嘆いた。

　あらゆることに文句を言う二人だったが、出てきた料理にだけは、うまい、と口を揃《そろ》えた。上等の日本酒を呑《の》み、二人はすぐに酔っぱらった。挨拶《あいさつ》にやってきた店の女将《おかみ》に、この馬鹿《ばか》息子もたまには親孝行をしてくれます、と自慢した。女将は優しく微笑《ほほえ》みながら、先生、お噂《うわさ》はお聞きしております、と聞き捨てならないことを口走った。

　きっとどこかの大家《たいか》と間違えているのだろう。似たような名前の有名な作家がいた。でも、両親は驚き、ほお、と唸《うな》った。ここは一つ、間違いのままにしておいた方がよさそうだ。これも親孝行というもの。

　帰り際、女将はこの店の主人とともに私のところにやって来て、お願いしたいことがあります、と頭を下げた。代筆の依頼であった。

翌日、レオナルドのいつもの席で私は二人と向かい合った。

「実は、私の母親に手紙を書いてほしいのです」

とまず主人、安東新一郎《あんどうしんいちろう》が言った。

「主人の母は長く臥《ふ》せっておりましたが、いくつもの病を併発しておりまして、主治医が申しますには、この冬を越せるかどうかという……」

おいくつですか、と尋ねると、女将の康代《やすよ》が、七十八になります、と答えた。

「何度も手術をしているせいで、すっかり生きる気力というものを失っておりまして、ここ一、二年急に老け込んでしまいました。なんとか、この冬を乗り越えさせることができれば」

主人が俯《うつむ》き、呟いた。

「最近になって、母が急に、広信《ひろのぶ》に会わせろ、と言い出したのです。あいつだけがまだ見舞いに来てない。あいつの元気な顔が見てみたい、と」

今度は女将が主人に代わって、話しはじめる。

「広信はお母さんに大変可愛《かわい》がられて育ちましたから、孫の顔を見れば、母もきっと元気になるものだと思います」

私は頷《うなず》き、それは何よりでしょうね、と返した。すると、二人の顔色が急に暗く落ち込んでしまった。

「去年の暮れ、広信は事故で他界《たかい》しております。十五歳でした」

主人が声を押し殺してそう漏《も》らした。私はすぐに言葉を戻すことができなかった。咳払《せきばら》いさえもできない。じっと待った。どちらかが喋《しゃべ》り出すのを。

「代筆の依頼ですが、広信に成り代わって、母を励ましてやってもらえないものかというご相談です」

女将が目に涙を浮かべて告げる。主人が内ポケットから亡くなった息子さんの写真を取り出し、テーブルの上に広げた。あどけなさの残る少年であった。俯いてしまった女将に代わって、主人は少年の人柄などを話した。聞いているのがつらい物語である。

「代筆した手紙でその場を凌《しの》いだとしても、いつかは分かることじゃないですか？」

言うと、二人は神妙な顔で頷いた。安東康代が説明をする。

「はい。そうなんですが、お母さんの容体は芳《かんば》しくなく、広信の死を知らせることでかえって病状を悪化させてしまう原因になりはしないか、との危惧《きぐ》があります。親族で話し合った結果、この冬を越すまで、というか、生きている限り、お母さんの前では広信が生きていることにできないものか、と。心苦しい嘘ではありますが、広信を失った上に、そのことが原因でお母さんの死を早めるのもまた辛《つら》い。逆に、広信の手紙がお母さんを元気づけることになれば、その死期を延ばすことができるのではないか、と考えた次第です」

私は自分の両親のことを思い出した。田舎から出てきた両親にもっと優しくするべきだった、と反省をしながら。

「とてもじゃありませんが、自分たちには息子の字を真似《まね》て手紙を書くなんてことはできません。まだ生々しい記憶がこびりついているせいもあります。先生のことはレオナルドのマスターからいろいろと聞いておりました。明日にでもお訪ねしようと、主人と話し合っていたところでした。いかがでしょうか。お引き受け願えますでしょうか?」

私はまずゆっくりと息を吐き出してから、残念ですが、と一度はその申し出を断った。やはりどう考えても、無理だった。手紙ほど、嘘がはっきりと行間に出てしまうものはない。心配していないものが、心配の手紙を書くと、覿面《てきめん》に文に出てしまう。

とても亡くなったばかりの少年の気持ちで手紙を書くなどという大それたことはできなかった。

　主人と女将は引き下がらなかった。

「必要な嘘というものだってあるはずです」

　と安東新一郎が言った。康代は、

「息子だって、きっと喜ぶはずです。彼は祖母を愛しておりましたし、きっと生きていれば、どんな形であろうと祖母を励まそうとしたでしょう。先生が広信に成り代わって母を励ますことに、いったいどれほどの罪が存在するでしょうか」

　と言った。

　息子さんが見舞いに行けない理由をお母さんにはなんと伝えているのですか、と質問をした。主人が頷き、まだ、何も、と答えた。

「忙しくて、ばたばたしているので、と遠回しに濁してきました。でも、そろそろはっきりと何かを伝えなければなりません」

　女将が付け足した。

　私は数秒考えた後、小さく頷き、ええ、分かりました、やってみます、と返事を戻した。内心は気が重く、どうしたものか、と珍しく途方に暮れながら。

安東夫妻と別れた後、私は仕事をする気にはなれず、まず少年の写真を握りしめたまま、焼きとり屋の暖簾《のれん》を潜《くぐ》った。写真をカウンターの上に立て、少年の安らかな眠りを願い、一人で静かに酒を呑んだ。いくつもの嘘をつかなければならない。少年の気持ちにならなければならない。何より、受け取る老女の心を見つめなければならなかった。難しい綱渡りである。

『おばあちゃんへ

おばあちゃん、ごめんね、お見舞いに行くことができなくて。ぼくは今、アメリカだよ。ロスアンジェルスから車で三十分ほど海の方に向かって下ったところにある全寮制の学校に通っています。去年高校受験に失敗して、浪人することが決まって、ぼくが落ち込んでいたのは知っているでしょ。そしたら中学の先生が、この高校を探し出してくれて。急遽《きゅうきょ》、アメリカ行きが決まったんです。いつかは留学しようと考えていたから、急だったけど、その偶然を選びました。むしろ今は実現できたことを喜んでいます。こっちは新学期が秋からで、だから、すんなりと入れた。言葉の問題は大きかったけど、でもなんとかなるものですね。学校が終わった後は、語学学校の夜間部にも通っています。同じような境遇の日本人が同じ寮に二人いるので、寂しくはありません。この学校は毎年日本人を招いているので、慣れているみたい。うん、人生って不思議。

でも、勉強についていくのは本当に大変。だから、今は日本にいた頃よりも忙しい。すぐに飛んで帰って、おばあちゃんを勇気づけたいところだけど、身動きがとれません。おまけに、こっちのバスケットボールクラブにも所属しています。大きな試合が近づいているので、土日も練習です。春休みを少し長くとって、日本に戻ります。だからそれまで待っていてください。母さんに聞いたら、おばあちゃんの病気は大したことがないとのことでした。春くらいに退院できるかもしれない、と聞きましたよ。ちょうどいいね。おみやげをたくさん買って秋田まで行きます。半年先だけど、でも半年なんてすぐだから、待ってて。勉強もスポーツも誰にも負けないようにがんばってみせます。だからおばあちゃんもがんばって。春に元気な顔で再会できるよう、早く元気になってくださいね。すぐに戻れないけれど、近くに教会があるので、こっちの神さまにお祈りをしておきます。今は、人生の休暇だと思って、ゆっくりと静養してください。

また手紙を書きます。もっともっと話したいことがあるから、すぐに書きます。ぼくからの手紙が届くの楽しみにしていてください。そうだ、もしも手紙を書くことが可能なら、お返事をください。英語の住所は面倒くさいでしょ。母さんに送ってもらえれば、こっちに転送してくれます。ぼくを勇気づける手紙をください。

安東広信』

難しいのは、嘘がばれないようにしなければならないことだ。会えない理由を捏造《ねつぞう》するのは心苦しかったが、これは仕方がない。

苦肉の策として、少年は外国にいることにした。確かめることはできないし、悲しいことだが、この冬を乗り越えるまでのこと。この老女を勇気づけることはできるだろう、と思った。

危険はあったが、少年はまた手紙を出す、と約束をする。病人は、頑張ろうと思うだろう。

何かを待つというのは人間にとって大事なことだ。待っているものが来る、と信じているあいだは不思議なほどに力が湧《わ》くもの。

医者をしている友人がかつてこんなことを言った。病室に飾る絵は、綺麗《きれい》な風景画や花の絵ではなく、何を書いているのかちょっと考えてしまうような抽象画の方がいい、と。絵の意味を考えたくなるようなものの方が患者の想像力を掻《か》き立て、ひいては生きる意味を与える。同じように手紙を待つ、という行為には、生きる希望が潜んでいる。

もちろん、待つことには限界がある。長すぎると逆に気力を落とす結果にもなる。老女は病院で少年からの手紙を待ちつづける。老女の精神状態を親族に観察してもらって、そのタイミングで手紙を書くようにしよう、と考えた。

一月《ひとつき》に一度、私が少年に成り代わって手紙を書くのである。なんともやる瀬ない努力だったが、引き受けた以上はやり遂げよう、と思った。

少年の手紙に、返事がほしい、と書き添えた。手紙を書くことには力がいる。希望が生まれ、生命力が宿る。その力を私は信じてみたかった。

繰り返される手術の中で老女は不安を覚えている。周囲は隠していても、本人はうすうす忍び寄る死について気がついているはず。できる限りの治療を施《ほどこ》したのならば、彼女に今必要なものは、気力だけである。孫に手紙を書くということで、この老女は日々の張りを見つけることができるのではないか。

手紙を書き、そして返事を待つ。そこには一縷《いちる》の希望がある。私は浅はかにもそう考えた。けれども現実はそれほど単純なものではなかった。

翌週、さっそく一通の返信が届いた。

『拝啓

病室の窓から眺める外の景色は、もうすっかり秋らしく色づいています。横手《よこて》の街を囲む山々の頂《いただき》に、照り映《は》える太陽の光を見つめながら、おばあちゃんは毎日我が人生を振り返っております。まあ、休暇ね。あなたの言うとおり。

でも、自分の体が思ったよりもひどいということは分かってきました。ここだけの話だけど、家族らが急に優しくなってね、なんだか恐ろしい。ああ、もう長くないのだなって、気がつきました。

ペンを握る手にも力が入りませんし、もはや一人で立ち上がることもできないのですからね。休暇のまま、さようなら、ということになるかもしれませんね。だから、広信、おばあちゃんはお前にだけは会っておきたかった。なんで会いに来てくれないのだろうって、ずっと考えていた。

正直に言えば、自分の体のことなんかよりも、そのことの方が気になっていた。人間だもの、いつかは死ぬ。それはもう覚悟ができているんだよ。だからこそね、くどいようだけどお前にだけは会っておきたい。

お前が生まれたばかりの頃、おばあちゃんがお前の世話をしていたんだ。初孫のお前が可愛かったから。お前の両親は共働きだったし、店もようやく軌道に乗ったばかりだったしね。東京に二年も暮らしたのよ。横手に戻りたい、と思いながらも、がんばった。

広信、お前が見舞いに来てくれないのは寂しかった。でも催促はしなかった。お前から連絡があるまでこっちから会いたいとは言わないようにしていた。だって、煙たがられるのは嫌《いや》だから。

昨日、手紙がようやく届いて、事情が分かった。なんだ、そうだったのか、留学していたのか。誰に聞いても、分からない、と言葉を濁すので、心配していた。でも安心したわ。そして、ちょっと元気が出ました。

忙しいのに、ありがとう。お前が元気なら、おばあちゃんは幸せだし、うれしいです。会えないのは残念だけど、お前に会える日まで、がんばろうと思う。お前もアメリカでがんばって。でも、絶対に無理はしないこと。広信からの手紙をおばあちゃんは首を長くして待っています。

敬具

安東喜代子《きよこ》』

安東喜代子からの返信を読んで、私は安心をした。予想どおり、彼女は人生を肯定的に見つめようとしていた。文面からは気力が滲《にじ》み出ている。愛する孫からの手紙によって励まされたのだ。

ところが、安心したのも束《つか》の間《ま》、次の手紙を書こうとしているところに、喜代子からの二通目が届いた。内容に目を通して、私は驚いてしまう。

『拝啓

毎日、看護師さんに聞いているのよ。孫からの手紙はまだですかって。彼女らが浮かない顔をするのが、苦痛になってきて、最近では、聞く前に落ち込んでいる始末。

最初の手紙が届いてから、まだ一週間とちょっとしかたっていないことも分かった。でも、何年もたったように感じます。

　今日は朝から二度、ナースコールをしてしまいました。手術をしたところが激しく痛み出して一回、そしてもう一度はお前からもらった手紙を床に落としてしまって。だってね、もう手にほとんど力が入らないのだもの。ナースコールのボタンを押すのでさえ、一苦労。自分一人じゃ何もできないなんて、悲しいわね。

　前の手紙では、来年の春までがんばる、と書いたけれど、今は、自信がなくなりました。もしも、その前に死んでしまったら、どうしよう、と考えたから。お前に会う前に死んだら、元も子もない。

　どうだろう、もう少し早く戻ってきてはくれないかしら。小正月に横手では、かまくら祭りが行われる。覚えているだろ。昔は毎年のように見に来ていたんだから、覚えているはず。街中に雪で作った室《むろ》を拵《こしら》えて、水神を祭り、その前で火を焚《た》いて、鳥追いの歌を歌う、あの祭り。

　大通りには大きなかまくらがいくつもいくつもできて、子供たちが道行く人々にお酒を振る舞う。うちの前にもみんなでかまくらを作った。

もう一度だけ祭りを見てみたい。でも間違いなく、私にとっては最後になる。だからね、広信、お前と一緒に見たいんだ。もう一度かまくら祭りを見てから、あの世に逝《ゆ》きたい。

最後の頼みを聞いてくれないかね。おばあちゃんの最後の、そしてたった一度のお願いだよ。

広信に会いたい。

安東喜代子

安東広信様

追伸
次の手紙には写真を入れてほしい。看護師さんに毎日自慢しているので。お前の元気な笑顔を送ってほしい』

主人と女将は困り果てていた。老女を勇気づけるために嘘をついたまではよかったが、逆効果になりつつあった。病室で孫のことばかり考える喜代子にとって、一日は長すぎた。待ちきれず、喜代子は催促をはじめた。この催促はエスカレートする可能性がある。

さらに冬の訪れを前にして、喜代子の病状は手紙に記されていたとおり、悪化の一途《いっと》を辿《たど》っていた。担当医は、芳しくない、と告げた。もう一度手術をするべきか、迷っている、とのことだった。それだけの体力が残っていないのだ。

私は喜代子に手紙を認《したた》めた。できるだけさりげなく、当たり障りのないものを目指した。思い出を書くことはできない。アメリカでの生活の様子を描いて、今すぐ日本に戻れない現状を説明するしかない。だから、必然的に短いものとなった。カンフル剤のような、一時的であれ、元気が出るものばかり。それを数、打つことにした。一月に一度、を一週間に一度に改めた。待たせる時間を短くする必要があった。どこまでやれるか分からなかったが、カンフル剤を打ちつづけてでも、今は彼女の気力を維持させるのがベストの方法であった。

背景の曖昧《あいまい》な広信の写真を時々、封書の中に付録《ふろく》のように入れた。そのかいあってか、冬のあいだ、病状は安定し、喜代子は持ちこたえた。良くなることはなかったが、ぎりぎりの状態で、保たれていた。医者は、奇跡的です、と言った。

『おばあちゃん

いよいよ明日は試合です。もう、どきどき。だって、コロンビア校の連中は半分はプロみたいな連中ばかりなんだから。それにくらべ、ぼくの在籍するクラブは寄せ集め部隊。とくに、日本人のぼくなんか彼らからすれば素人《しろうと》、身長だってみんなより五センチは低いし、ジャンプ力だって、なにもかも彼らには及ばない。試合に出られるだけでも、奇跡としかいいようがない。おばあちゃんのお蔭《かげ》だな。おばあちゃんががんばっているんだから、ぼくもがんばらなきゃって、そう思って今はがんばっています。試合結果は次回に報告します。同封した写真は友達が写したぼくの近影《きんえい》。後ろの青空は、仲間たちと近くの海まで行ったときのもの。あんまり青空が綺麗だったものだから、撮ってもらいました。じゃあ、また、すぐに手紙を出します。チャオ。

広信』

『喜代子おばあちゃん

試合、負けちゃった。ぼくは一点も入れることができませんでした。でも自分のすべての力は出しきることができた。なんとか最後までフル出場できたし、負けたのは情けないけど、仕方がない。自分のベストは出せたと思う。コーチも褒《ほ》めてくれたんだよ。今は前進あるのみ。来週、学校の方がテスト週間に入ります。落第点を取らないように、そっちも全力でやらなきゃ。

ごめんなさい。なんとか春より少し前に戻れないか、調整しているところです。帰れるかもしれないし、とにかくいろいろとやってみているところです。まだなんとも言えない感じだけど、でも、努力はしています。早くおばあちゃんに会いたい。気持ちはぼくも一緒です。また手紙を書きます。今度は来週のテストの結果を知らせることにしますね。落第したら、帰れなくなるから、がんばる。応援してください。

広信』

『おばあちゃんへ

挫折《ざせつ》というものを最近味わいました。人を好きになって、それがうまくいかなくて。でも、挫折というものは、そこでおしまいではなく、挫折ということが、次をすでに生んでいる。落ち込むということは、落ち込んでいるという段階ですでに再生がはじまっているわけですね。へんな言い方だけど、終わりは確かに終わりでありながら、同時にはじまりでもある。ぼくは人を好きになり、ふられました。本当なら寝込んでもいいような状態だけど、むしろ今はその反対で、ふられた瞬間、ぼくは終わりが終わりではない、ということを学びました。こうやってぼくはちょっとずつだけど成長をしています。たぶん、きっと、こういうことを成長と言うのでしょう。難しいね。そうだ。ホットニュース。もしかするとね、帰れるかもしれません。可能性が出てきました。なんとか、少しでも早く日本に帰ることができるようにがんばっています。だから、おばあちゃんもがんばって。会ったときに人生のいろいろ、教えてください。おばあちゃんにだけ打ち明けたいこともあります。大先輩、よろしくお願いします。

広信』

正月を越えてすぐに安東喜代子が危篤《きとく》になったことを知った。夫婦は秋田へと飛んだ。喜代子からの手紙は全部で三通届いていた。最後のものは昨年の暮れの消印だった。私が送った最後の手紙は喜代子が危篤の状態になる一週間ほど前のものである。

広信を装《よそお》って書いた手紙は全部で十五通にもなっていた。手紙が届いた日は喜代子の気分はかなり良くなる、とのこと。手紙が喜代子の病状の悪化を阻止《そし》しているように思えた。

私はかまくら祭りに出掛けた。この小旅行のことを安東ご夫妻には内緒にした。余計な心配や気遣いをさせたくなかった。それに、一度かまくら祭りを見てみたかった。というよりも、じっとしていられなかった、というのが本音かな。そこに行かなければならないような気がしてならなかった。

東北新幹線やまびこで約三時間。北上《きたかみ》からＪＲ北上線に乗り継いで、横手駅で下車。シティホテルに宿を取った。喜代子が手紙で書いていたように、雪で覆われた町のあちこちにいくつものかまくらができていた。中に子供たちが隠れるように潜んでいて、観光客らが通るたび、はいってたんせ（かまくらに入ってください）、おがんでたんせ（水神さまをおがんでください）、あまえこあがってたんせ（甘酒をどうぞ）と声が掛かる。お酒をもらうたびに、こっちの慣習に従ってお小遣いを手渡した。

道の左右、歩道の上にかまくらがずらりと並んでいる。半円形のかまくらは雪ででできているくせに、間近で見ると、温《ぬく》もりがある。

夜になっても歩を緩《ゆる》めず、あてもなく路地を巡っていくと、不思議な光景に出くわした。学校の校庭に、ミニチュアのかまくらが敷きつめられていた。何百、あるいは何千と。中で蠟燭《ろうそく》がともっていた。小さな雪灯籠《ゆきどうろう》である。あまりに神秘的な光景であった。死後の世界を間近に見ているような。

赤提灯《ちょうちん》がともる居酒屋に入り、カウンターの端で一人酒を呑んだ。きりたんぽでおなかを膨らませ、十二時過ぎ、ほろ酔いかげんで店を出た。宿に戻る途中、道に迷った。見覚えのあるかまくらを頼りに路地を彷徨《さまよ》っていると大きな建物の前に出た。安東喜代子が入院している病院だった。この建物のどこかに安東喜代子がいるのだ、と思った。回復しますように、と心の中で手を合わせた。

安東喜代子は横手かまくら祭りの間、一時的に意識を回復した。ところがその一週間後、再び病状が悪化し、二月の終わり、不帰《ふき》の客となった。

その知らせを受けたとき、ちょうど、喜代子に宛《あ》てた手紙を書いている最中であった。かまくら祭りには間に合わなかったと謝る広信からの手紙である。危篤から目覚めたときに、彼女を励ますようなものを、と思って書き進めていたが、思うように筆が進まなかった。結局、それを使うことはなかった。

喜代子は広信の死を知らずに他界したが、喜代子の病室から彼女の死後、広信宛ての手紙が発見された。

いつ書かれたものかは、推測するしかなかった。手紙を書けるような状態だったとは思えない、と医者は断言した。けれども文面を読んで判断する限り、その時期に書かれたものとしか思えなかった。

読んで背筋に寒気を覚えた。その次の瞬間、心の内側に熱いものが溢《あふ》れるように込み上げてきて、読み終わると同時に、涙が頰《ほお》を伝った。

肉親というものの不思議なつながりを、私は信じることができるようになっていた。

『いとしい広信へ

わざわざ遠いところをありがとう。どんなに忙しくてもお前は必ず見舞いに来てくれると思っていた。何があっても今年のかまくら祭りを見に来てくれる、と信じていた。病室にあんな時間に顔を出すのだもの、よっぽど慌てて戻って来てくれたのだろう。危篤の知らせに取るものも取りあえず帰って来た、という感じがした。でも、お前の優しい笑顔を見ることができて、私はこれで安心して人生を終えることができそうだ。もう思い残すことは何もない。何一つ迷うことなく、あらゆることにただ感謝をして逝くことができる。

お前に支えられて、窓越しから祭りを見ることもできた。柔らかい雪のかまくらに、いつまでも消えることのない焚《た》き火の残り火が反射して美しかった。あんなに美しいかまくら祭りを見たのははじめて。お前が私に会いに来てくれただけで、私の人生には立派な意味がついたよ。本当にありがとう。おばあちゃんの我が儘《まま》を聞いてくれて、本当にありがとうね、広信。

またすぐに会える。きっとすぐに会えるね。心の中のかまくらでまた会いましょう。そこで一人静かに私はお前を待っているよ。

喜代子おばあちゃん』

追伸（あとがきにかえて）

開封した便箋《びんせん》の手触り、文字の人懐《ひとなつ》っこさ、封書に貼られた切手やスタンプに至るまで、手紙にはそこかしこに、なんとも言えない人間臭さがある。

変な言い方だが、手紙は純然たるハンドメイド。だから人は手紙をもらうのがうれしいのだろう。世界でたった一つしか存在しない自分だけに向けられたメッセージ。それをポストの中に発見したとき、人は同時に、ささやかだが何物にも替えられない喜びを受け取ることになる。

何より郵便配達人によって、遠方から届けられるというのがうれしいし、そこには郵便受けなるものが存在し、その小箱を開ける楽しみまでもくっついてくる。

ちなみに本書も、手紙の依頼によって生まれた。海竜社の古川さんという編集者から、ある日私のもとに執筆依頼が届けられる。

最近は、せちがらいというのか、小説やエッセイの依頼もほとんどがメールになった。原稿はEメールかファックスで送る時代である。編集者が自宅まで取りに来るなんてことは昔話だ。

古川さんからの手紙はいくつかの点で印象に残った。まず綺麗《きれい》な字。便箋は縦書き用を使用している。しかも丁寧な執筆の依頼である。手紙に纏《まつ》わるエッセイをお願いできないものでしょうか、と書かれてあった。

私は当初文面などから年配の方を想像していた。文体から立ち上がってくる落ちついた雰囲気から、熟練の編集者を想像していたのだが。古川さんと面会した事務所の者が言うには、まだ大学を出たばかりといった印象のかなり元気な若者だったそうで。人は見かけによらない、という諺《ことわざ》があるが、どうやらそれは手紙にも当てはまりそうだ。

古川さんから執筆依頼を最初に貰《もら》った頃、私は多忙でとても新しい仕事を引き受けることができるような状態ではなかった。時間ができたら書かせてください、でも今はちょっと立て込んでいて書けそうにありません、と生意気にもお断りの旨お伝えした。

　なのに古川さんは挫《くじ》けず、今年はいかがでしょうか、と翌年も手紙をくれた。いったいどういう人なのか、想像もできない。ただ、その熱意や根気に心を動かされたのは確か。そして今年のはじめ、

『やはりどうしても今という時代に手紙に纏わる本が必要な気がいたします』

　という内容の手紙が届く。手紙で原稿の依頼をする人は少ない。私はこの人と今仕事をしなければならない、と不意に思い立った。

　不思議なことだが、そのとき私はすでに書くべき物語の骨格を摑《つか》んでいた。時折、送られてくる手紙のお蔭《かげ》だった。私は古川さんの手紙を開封するたび、無意識の中で手紙に纏わる読み物について構想を練りはじめていたのである。

　外国で暮らしているせいもあり、まだ海竜社の人々とはお会いしたことがない。仕事をすると約束をしてからはＥメールが大変役に立った。最初の依頼は手紙で、仕事

がはじまってからはメールで、これはなかなか現代的でスマートなやり方だと思う。

余談だが、古川さんはこの本が世に出る頃にご結婚されるのだそうだ。夫君になられる男性とはきっと文通恋愛だったのであろう。この本がお二人の門出を祝うものとならんことを希望するばかりである。

一通の手紙がきっかけでこの作品は世に出ることとなった。スピーディな今という時代に、私は古風な方法でまた一つの新しい出会いを手に入れた。

かまびすしい時代を私たちは生きている。戦争や暴力やいじめが後を絶たない。情報が飛び交い、それは信憑性《しんぴょう》のあるもの、まったく根拠のないもの、全部ごちゃまぜになって瞬時に世界の隅々まで達する時代だ。何を信じていいのか、分かりにくい世の中である。

スピードの時代を生きる私は、自分を見失わないために、今はできる限り雑音の届かない外国の地で暮らしている。この距離のお蔭でか、大切なものだけしか、私のところには届かなくなった。

いずれ年を重ねたら田舎《いなか》で暮らそうとたくらんでいる。灯台と小さな郵便局があるだけの港町なんかがいい。そこでひっそりと暮らし、自分の物語世界とだけ向かい合って生きていく。もし実現できたら、そんなに素晴らしいことはないだろう。

時々、どこからともなく便りが届く。そんな生活。なんでもない日の午後なんかに、ポストという玉手箱の中に友人らの懐かしい声を発見する。

郵便局に手紙を出しにいくのが、目下の私の重要な仕事である。そこでパブロ・ピカソの切手付き封書百枚セットなるものを購入した。日本に送るには四〇サンチーム の切手を余計に貼らなければならないが、もらった人の喜ぶ顔が目に浮かぶ。差出人からのちょっとしたプレゼントである。

ここにも、なんでもない人生の、ささやかな喜びが一つ……。

手紙は何人もの郵便配達人の手を介して、相手に届く。小説が出版社や校正さんや書店の方々の手を借りて読者の皆さんに届くのと一緒。そういうことを想像すると、思わず頭が下がり、感謝をしたくなる。

最初の一枚は母親に送った。残りの九十九枚はこれから世界中に向けて旅立つことになる。考えるだけで、わくわくする。この程度のことで喜べるというのも手紙の素晴らしさの一つであろう。

本書を手に取ってくださった皆さんが、よし、ひさしぶりに手紙でも書いてみるか、と思ってくださることを願いながら、私はこの辺りで筆を擱《お》くことにする。

パリ、七月　　辻　仁成

この作品は二〇〇四年十月海竜社より刊行されたものです。

幻冬舎文庫

●最新刊
ももこの21世紀日記 N'04
さくらももこ

04年は日本国内が自然災害に何度も襲われた年でした。死は誰にでもいつか訪れます。でも死ぬまでの間は生きている。生きている間は生きている事を満喫したいですね。大人気カラー絵日記。

●最新刊
PLANETARIUM
桜井亜美

中学生同士で結婚の約束をして、星に夢をたくすキョウとメイ。だが、高校に進学したキョウが突然姿を消してしまう。新しい命を宿していたメイは、キョウを捜す旅に出るが……。

●最新刊
砂漠の薔薇
新堂冬樹

ハイソな奥様の輪に加わり、愛娘の「お受験」にのめり込む中西のぶ子。彼女はなぜ親友の娘を殺す必要があったのか。平凡な主婦を殺人に駆り立てた日常生活に潜む狂気を描く衝撃のミステリー。

●最新刊
直感力
~カリスマの条件~
津本　陽

この多難な時代、組織に求められるのは小泉純一郎的リーダーか？　歴史小説の創作を通して数多の英傑と向き合ってきた著者が語る「真のリーダーシップ」。ビジネスに役立つ画期的エッセイ。

●最新刊
ちゃぶニチュード！
日本全国マズイ店列伝
野瀬泰申

酸っぱい肉豆腐、真っ黒こげピザ……どうしようもなくマズイ店に遭遇する衝撃は、極上の旨い店にぶつかる喜びと等価だと豪語する著者が、日本全国を歩き綴った抱腹絶倒！　怒濤の食レポート。

幻冬舎文庫

●最新刊
偽装狂時代
爆笑問題の日本原論5
爆笑問題

太田光が、15年間休むことなく書き続けている日本原論の第5弾。ますます磨きのかかったノリと笑いで、世相をメッタ切り。長い間、書き続けてわかったこと。「世の中、すべて偽装でした!」

●最新刊
学校
松崎運之助

一九七二年に東京下町の夜間中学に教師として勤務した著者が出会った生徒達。社会でひどい仕打ちを受け、不当に差別されてきた人々が、文字を学ぶことで人間の尊厳を取り戻していく感動実話。

●最新刊
ハバナ・モード
すべての男は消耗品である。Vol.8
村上　龍

危機的状況では、あきらめずにまずリラックスすること。次に危機の回避のため、極度の緊張と集中をして猛烈な努力を始めることが大切だ。「ハバナ・モード」で時事を斬る大人気エッセイ!

●最新刊
正義の証明(上)(下)
森村誠一

社会的に非難を浴びる人物に麻酔弾を撃ち込む「私刑人」。彼はなぜ執拗に犯行を重ねるのか?法に庇護されなかった弱者と、暴力団、警察との壮絶な闘いを描く、森村ミステリーの金字塔。

●最新刊
証し
矢口敦子

かつて売買されたひとつの卵子が、十六年後、殺人鬼に成長していた——?少年の「二人の母親」は真相を探るうち、彼の魂の叫びに辿り着く。「親子の絆」とは「生命」とはを問う、長篇ミステリ。

代《だい》筆《ひつ》屋《や》

辻《つじ》仁《ひと》成《なり》

平成20年4月10日　初版発行
令和元年5月30日　3版発行

発行人――石原正康
編集人――菊地朱雅子
発行所――株式会社幻冬舎
〒151-0051東京都渋谷区千駄ヶ谷4-9-7
電話　03(5411)6222(営業)
　　　03(5411)6211(編集)
振替00120-8-767643
印刷・製本―中央精版印刷株式会社
装丁者――高橋雅之

検印廃止

幻冬舎文庫

ISBN978-4-344-41112-8　C0195　つ-1-7

幻冬舎ホームページアドレス　https://www.gentosha.co.jp/
この本に関するご意見・ご感想をメールでお寄せいただく場合は、
comment@gentosha.co.jpまで。